首批国家级新文科研究与改革实践项目“聚焦未来技术人才培养打造船海特色通识课程新体系”（项目编号：2021070035）阶段性成果

唯物辩证法在核学科的教学应用

主　编　王景云　谭思超
副主编　王　辉　刘　铁

哈尔滨工程大学出版社
Harbin Engineering University Press

内容简介

本书着眼于课程思政与思政课程协同育人的路径探索，从唯物辩证法基础理论分析出发，聚焦核学科领域，围绕着相关理论、事件和人物等内容，形成此领域的课程思政案例集，总结了在开展课程思政过程中的一般经验和一般方法，既针对专业课程思政提供理论化的指导，又面向思想政治理论课提供特色化的案例分析，在课程思政与思政课程两方面均具有一定的借鉴意义。

本书可供核学科和思想政治教育领域教师及学生阅读参考。

图书在版编目（CIP）数据

唯物辩证法在核学科的教学应用 / 王景云，谭思超主编 . — 哈尔滨 : 哈尔滨工程大学出版社 , 2023.4
ISBN 978-7-5661-3870-5

Ⅰ . ① 唯…　Ⅱ . ① 王… ② 谭…　Ⅲ . ① 思想政治教育—教学研究　Ⅳ . ① G641

中国国家版本馆 CIP 数据核字（2023）第 067990 号

唯物辩证法在核学科的教学应用
WEIWU BIANZHENGFA ZAI HEXUEKE DE JIAOXUE YINGYONG

选题策划 刘凯元
责任编辑 李　暖
封面设计 李海波

出版发行 哈尔滨工程大学出版社
社　　址 哈尔滨市南岗区南通大街 145 号
邮政编码 150001
发行电话 0451-82519328
传　　真 0451-82519699
经　　销 新华书店
印　　刷 哈尔滨午阳印刷有限公司
开　　本 787 mm × 1 092 mm　1/16
印　　张 8.25
字　　数 130 千字
版　　次 2023 年 4 月第 1 版
印　　次 2023 年 4 月第 1 次印刷
定　　价 58.00 元
http://www.hrbeupress.com
E-mail:heupress@hrbeu.edu.cn

前　言

马克思指出："辩证法按其本质来说，它是批判的和革命的。"在马克思主义世界观和方法论中，唯物辩证法是其核心内容，它为人们认识世界和改造世界提供了根本方法。习近平总书记强调，"学习掌握唯物辩证法的根本方法，不断增强辩证思维能力，提高驾驭复杂局面、处理复杂问题的本领。……我们的事业越是向纵深发展，就越要不断增强辩证思维能力"。辩证思维能力就是唯物辩证法在思维中的运用，这也是科学思维能力的根本要求和集中体现。增强思维能力，首先要提高辩证思维能力。

本书着眼于专业课程思政需要，聚焦核学科领域，面向一线教学，采集分析相关案例，力图探索专业教育与思想政治教育实现科学化结合的思路。为此，每章都运用了唯物辩证法理论阐释与核学科领域案例分析相结合的方式，深刻剖析案例所蕴含的学理、道理与哲理，在"讲深、讲透、讲活"上带来一种新的解题方式，在课程教学中进一步将马克思主义立场观点方法的教育与科学精神的培养有机融合起来，进而引导学生科学地看待问题，并以此提高学生认识问题、分析问题和解决问题的能力。

本书在编写过程中，借鉴参考了部分书籍及相关研究成果，赵俊达、乔首旭、赵富龙等教师及部分学生在收集和整理核学科案例方面做了大量工作，同时本书出版得到了有关单位的大力支持，在此一并表示衷心感谢！

虽然本书为编者潜心尽力之作，但难免有疏漏之处，敬请各位专家、学者予以指正。

编　者

2023 年 4 月

目　录

第一章 坐言起行——主体与主观的关系

“亦余心之所善兮，虽九死其犹未悔”出自战国时期屈原的长篇抒情诗《离骚》，这一句中屈原为何讲纵然他死多少次也不后悔？也就是为什么人这一主体即使不存在了也不后悔呢？这是因为他执着于我“心中追求的是高洁的人格和执着的理想信念”，“心之所善”也正是一种价值观念。

什么是主体？主体是来自哲学的一个概念，是指具有一定的主体能力、从事着现实社会实践活动的人，是实践活动中自主性和能动性的因素，担负着设定实践目的、操作实践中介、改造实践客体的任务。可以说，主体是实践活动的组织者、领导者和实施者。

什么是主观？主观是主体对客观存在的反映，是主体思维的展现，也是主体的意识表达形式,是属于认识论范畴的。马克思主义认识论认为“主观是对客观存在的反映”，但这种反映有可能是正确的也有可能是错误的，所以这种反映必须是建立在客观物质的基础上的。

主体与主观之间是什么关系呢？

首先，主观具有价值性，往往和主体的价值观联系在一起。价值观对人们认识与改造世界具有重要的导向作用，个人的价值观本身是主观世界的一种重要的表现形式,“事物的价值是主观的，只是说它的价值由它满足人们偏好的程度而定”，即主观体现着主体的世界观、人生观与价值观。比如在教学楼中漫步，有的人发现教室空无一人但却在白天灯火通明，一些人会在“节能环保”的价值观念的驱动下自觉地关闭空无一人教室的灯；另一些人或许是尚未意识到这样的现象是对能源的一种浪费而选择视而不见。这样在我们日常生活中常见的两种不同的价值选择行为，恰恰证明了人的主观是具有价值性的，不同的个体拥有不同的价值观与主观世界。

其次，主观具有被动性，主观的被动性主要指客观世界或者客体的未被揭示，人们认识事物还处于混沌状态。为什么我们能够取得抗日战争的最终胜利？在一些人看来最重要的原因之一在于对抗日战争认识的不断深化，“客观事物、客观现象、客观规律的隐蔽性、复杂性、艰巨性、假象性，也就是主体在认识客观事物、客观现象、客观规律的过程中的艰巨性、不易性”，在抗日战争爆发初期，“亡国论”与“速胜论”甚嚣尘上，这两种局限于军械实力基础上的盲目的、主观的、片面的对比，在当时社会的广泛流传，极大地打击了人民抗战的积极性，但决定一场战争胜利与否的因素是多种多样的，战争本身也是一件不易被探清本质与发展规律的复杂事物，仅凭认识初期片面的揣测而不深化发展自身对认识对象的认知就会陷入形而上学的错误，这也就是为什么有时主体在认识事物时是盲目的，不能遵从事物的客观规律。抗日战争的形式是不断发展的，对抗日战争认识的环境也是不断变化的，反对对抗日战争认识的唯心论和机械论的倾向，采用客观的观点和全面的观点去考察抗日战争，依据全部敌我对比的基本因素才能得出正确的结论，即中国人民的抗日战争不是速战速决的战争，而是一场旷日持久的战争。

最后，主观具有能动性，作为主体的人能够积极反映世界和改造世界，主观的揭示通过主体能够改造客观使其符合主体的需要，积极地为主体服务。我们都知道恩格斯是一位伟大的导师，作为马克思的亲密战友，他们两人立志为人类解放事业做出自己的贡献。在目睹工人阶级悲惨的境遇后，恩格斯觉得作为一个有良知的人，理应为改变工人悲惨的生活环境做些什么并为此付诸实践。在参与对英国进行了广泛而深入的调查，去工业中心实地考察，搜集了大量关于英国工人生活条件、政治态度和斗争情况的第一手材料等一系列实践之后，恩格斯撰写的《英国工人阶级状况》，该书对启发工人阶级的觉悟和促进社会主义理论与工人运动相结合起到重要作用，为自身解放人类的伟大理想事业迈出坚定的一步。

通常来看，主体与主观相互联系、密不可分，马克思讲主观是主体的一种精神状态，“主观性只有作为主体才能存在”，这即是说，主观不可能独立存在，没有离开主体的主观。没有主体，主观就不能成其为主观，只是脱离了躯体的“灵魂”；没有主观，主体也不能成其为主体。主体和主观都具有能动性与创造性。

我们都知道，中华民族的传统美德是一种美好的、令人向往的道德操守与精神品质，它之所以美好，是因为代代有人传承、践行，用一个又一个生动鲜活的例子打动我们，引导我们向着这些价值方向前进，在一次次主体与主观的生动结合中不断丰富发展，不断吸引后来者将其内化为自身的价值观念。否则，再怎么优美华丽的文字也不过是一个字符，不能也不会成为价值观念，脱离了主体承载的字符也不能在一代代中华儿女的口述笔录与生动实践中成为中华民族抹不去的民族品格烙印。

此外，主观是主体对客体的对象性活动，这种活动也体现了主体的一种价值观念。主体对客体的认识结果形成了人脑对客观世界的反映，即形成了主观。通过发挥人的主观能动性主体对客体的认识活动能够更好地创造世界和改造世界，更好地服务主体自身。

我们每一个人从幼年开始接受爱国主义教育，在潜移默化中，在润物细无声的滋养中，我们对脚下这片热土爱得深沉，所以我们演绎可歌可泣的军民协力驱敌寇的史诗、我们奏响“上天揽月，下海捉鳖”的征歌、我们万众一心驱厉疾……我们每一个人在伟大的爱国主义价值观的指引下，用拳拳赤子心，负笈报国行，诠释对脚下这片热土的爱恋之情，此情此行昭昭日月可鉴。

综上，实践作为沟通理念和现实的桥梁，是创造财富关键的、不可或缺的一环。主体的实践受到主体自身的认知水平、知识结构、思维方式和认知能力的制约，即主体的实践行为是受到自身主观世界的制约与影响的。

作为主体的人应该自觉地认识自己、改造自己，改造自己的主观世界，丰富自己的精神世界。通过主体和主观的相互影响、相互协调、相互促进，正如马克思说的那样：“人不仅像在意识中那样理智地复现自己，而且能动地、现实地复现自己，从而在他所创造的世界中直观自身。”

20 世纪五六十年代，在严峻的国际形势下，为抵制西方资本主义的武力威胁和核讹诈，无数科技工作者义无反顾地投身到这一神圣而伟大的事业中来，将强国兴邦作为“心之所善”，将国家的安危与发展置于个人与家庭之上，在国家经济、技术基础薄弱的条件和艰苦的工作环境下，凭借一腔报国强国的热血理想、九死不悔的坚定志向，克服重重困难，用数十年的时间完成了核弹、导弹和人造卫星等尖端技术的突破，造就了新中国军事、科技方面的一大奇迹，向世界证明了中国力量。他们遵循着内心最原始的爱国热忱，不断培育自身的高尚品格：要以国家富强、人民幸福为己任，胸怀理想、志存高远，投身于中国社会主义的伟大实践，并为之终身奋斗。他们的前进途中，有平川也有高山，有缓流也有险滩，有丽日也有风雨，有喜悦也有哀伤。心中有阳光，脚下有力量，这些伟大的科技工作者为了理想能坚持，为了信念不懈怠，创造了无愧于时代的人生。

案例展示

一、世界上最可靠的安全　就是让敌人知难而退

特殊时期，凭借优异成绩考取浙江大学的“公费生”，却在日寇不断骚扰侵袭下随着学校不断西迁，泱泱华夏之大，却连一张供学生安心读书的书桌都没有。目睹了祖国落后遭受的屈辱，“科技兴邦”的种子在他心中萌发。

隐姓埋名，为国铸盾。他放弃优渥的国外条件，毅然决然回国建设国防，踏入“死亡之海”，从此在人间消失二十余年，直至一声巨响让世界再次掂量对中国怀有龌龊想法的代价。正如他回国前所说：“中国穷不穷、落不落后，不要看今天，我们看今后。”

程开甲的人生经历无疑是充满着崎岖的：他经历了昨日中国的腐败与衰落，见证了当时社会的苦难，他同样目睹了今日中国的繁荣与昌盛，更为重要的是，他参与了这一伟大的变化过程，对旧中国罹难感到悲悯与痛心，那时尚且稚嫩的他便立下了“科学救国”的远大志向。当 1949 年中国人民解放军开炮击沉了英国的“紫石英号”时，他就知道“这一天，是中华民

族的希望”，他心中满腔的热血并没有在那段国外求学的经历中逐渐冷却，在那声炮响中，他明白了自身的使命："我的目标是一切为了祖国的需要。‘人生的价值在于奉献’是我的信念，正因为这样的信念，我才能将全部精力用于我从事的科研事业上。我这辈子最大的心愿就是国家强起来，国防强起来。”

程开甲

正是程开甲前半生经历过中国那段屈辱的历史，他深深体会了国家的稳定强大，才是个人最重要的保障，国家不富强，个人何以立世？国家不安定，个人以何生存？正是基于这样的认识，他才在国外求学的时间里积极学习，不断地丰富自身的学识，“科技兴国”的观念早在他在国内成长的时间里，便深深埋在了内心深处。

程开甲也正是抱定“科技兴国”的信念，面对国家的需要，他才能够摒弃一切名利诱惑，隐姓埋名，为国铸盾，一入“死亡之海”罗布泊便是二十余年，为开创中国核武器研究和核试验事业，倾注了全部的心血与才智，在我国核事业领域中不断开拓，不断丰富完善自身的知识结构、提高自身的认知水平与认知能力，在我国核领域科学事业中，“创新探索未知，坚韧不拔耕耘，勇于攀登高峰，无私奉献精神”。

“空投、平洞、竖井、朔风、野地、黄沙，戈壁寒暑成大器，于无声处起惊雷！”一片赤诚、一生奉献，程开甲老先生的一切都和祖国紧紧相连。

在探索认知世界的过程中，他感受到了落后给近代中华民族带来的屈辱与磨难，立定了“科学报国”的坚定信念，他胸怀炽热如火的爱国热血，在学习的过程中、在开创我国核领域科学事业中，迎难而上、艰苦奋斗。以身许党报国的赤子之心与众生为国铸盾的奋斗精神充斥着他的主观世界，指导着他不断在国防核事业领域中为国、为党、为人民构筑起攻守兼备的“大国剑盾”。

干惊天动地事，做隐姓埋名人。程开甲为国铸盾不图名利，他的一生生动地阐释了“作为主体的人，应该自觉地认识自己、改造自己，改造自己的主观世界，丰富自己的精神世界”，并在正确的主观世界的指引下，付诸实践，勿忘初心，不畏艰难险阻，为国家富强尽献己力，终身不改己志、不易己节。

二、北斗导航的创始人

“人生路必曲，仍须立我志。竭诚为国兴，努力不为私。”诗以言志。1934 年，陈芳允高中毕业后考入清华大学物理系，1938 年毕业后，他进入清华大学无线电研究所，后经介绍转到成都无线电厂。

陈芳允

抗日战争胜利后，陈芳允抱着科技救国的决心，赴英国留学。经过 4 年的学习、研究与工作并取得优异成绩的他，带着世界第一流的电子工程技术的精湛造诣，回到了祖国。

在国民党败退台湾时，打算强行带走包括陈芳允在内的一批科技专家，他不惜自残脚趾坚守下来，把一生奉献给新中国建设。陈芳允提出的微波统一测控系统、双星定位系统等方案，开创了中国航天事业新时代，实现了航天测控技术飞向太空、同步定点、国际接轨等五大飞跃。他还与王大珩等人一起向党中央建议发展高科技研究，成为“863”计划发起人之一。

陈芳允的一生是致力于中华民族科学事业发展的一生，从蒙童稚子求学之日起，他经历了那个特殊的时代，也明白科学技术的进步对一个国家、一个民族发展的重要性，便坚定了“从中国的国情出发，走科技创新发展之路”的信念，他始终对自身工作、对自己国家保持着一份本真与热爱。

为了满足国家对原子弹的需求，陈芳允带领研究室全部科研人员一起制定了方案，研制出了为核爆测试使用的多道脉冲检测仪。当我国第一颗原子弹试爆成功时，面对别人的祝贺，陈芳允说“我只不过为中国的原子弹做了一件小小的工作”。或许这是那个时代的科研工作者们的共有特征：谦虚。他们眼里有光，满是对祖国的热忱。

在俯身科研的过程中，相信陈芳允也在仰望着星空。在爱国信念的指引下，他的价值观，他的一切仿佛都是为了献给他所热爱的这块热土而存在的。他明确了自身存在的价值，在不断改造自身的主观世界里，丰富自己的精神世界，在汲取精神力量的过程中，指导自身的实践活动。有人曾说：“你要想记住陈芳允先生只要记住两件事情就行了，他的头发从来是自己理的，他的衣服从来是自己补的。”就是这样一位科学家，他为我们的中国科技事业，为我们中华民族的振兴奉献了自己毕生的精力。

在不断攻坚克难的过程中，在不断的科学探索实践中，作为实践主体的他，积极反映客观和改造客观，通过主体改造客观存在使其能够符合主体的生存状态，积极地为主体服务。陈芳允在自觉地认识自己、改造自己，改造自己的主观世界，丰富自己的精神世界。在热忱的爱国主义精神的指引下，“竭诚为国兴，努力不为私”。这正是这一代科学家们的追求，他们的这种追求永远是我们学习的榜样，也永远是我们的民族精神。

三、他的名字曾经绝密二十八年

一己之力，五次领衔，率领中国实现核领域的突破；重重封锁，层层限制，一个名字，震惊了世界。他是于敏，一个土生土长的“国产土专家”。其贡献之卓越，成就之闪耀用文字难以表达，用“前无古人”来形容，一点也不为过。

关于于敏的一生，我想我们可以从《感动中国》组委会的颁奖词中窥探一二：“离乱中寻觅一张安静的书桌，未曾向洋已经砺就了锋锷。受命之日，寝不安席，当年吴钩，申城淬火，十月出塞，大器初成。一句嘱托，许下了一生；一声巨响，惊诧了世界；一个名字，荡涤了人心。”

他没有留过洋，却也成为世界一流的理论物理学家；当自己处于原子核理论研究的巅峰时期，眼前莫大的荣誉唾手可得，他却能够毅然服从国家安排，从头开始从事氢弹理论的探索研究工作。

于 敏

氢弹理论设计构建中的“百日会战”令人难忘。100多个日夜中，于敏先是埋头于堆积如山的计算机纸带，然后做密集的报告，率领大家发现了氢弹自持热核燃烧的关键，找到了突破氢弹的技术路径，形成了从原理、材料到构型的完整的氢弹物理设计方案。

我们知道，客观事物、客观现象、客观规律具有隐蔽性、复杂性、艰巨性、假象性，也就是主体在认识客观事物、客观现象、客观规律的过程中具有艰巨性、不易性的特点。作为当时被科技先进国家层层封锁的核领域的关键技术，其认知的难度自然更不必多言，而于敏却从零开始，在每个日夜抽丝剥茧地竭力探索着自身先前并不熟知的技术领域，充分发挥自身作为科学探索中实践主体的能动作用，攻克重重难关，探索、发现、认知。

终于，1967 年 6 月 17 日，罗布泊沙漠深处，蘑菇云腾空而起，一声巨响震惊世界。新华社对外庄严宣告：中国第一颗氢弹在西部地区上空爆炸成功!

从第一颗原子弹爆炸到第一颗氢弹试验成功，美国用了 7 年多，苏联用了 4 年，而中国仅用了 2 年零 8 个月。于敏为此做出的贡献可见一斑。

有人尊称于敏为“氢弹之父”，他却婉拒道：“这是成千上万人的事业，一个人的力量是有限的。”他讲道：“我是一滴水，只有放到人民群众的大海中，才永远不会干涸。”

此后，于敏与我国核领域的多位科学家多次商议起草报告，分析我国相关实验的发展状况以及与国外的差距，提出争取时机、加快步伐的战略建议。

在西方世界的层层围追堵截之下，于敏率领团队在关键时刻力挽狂澜，扶大厦之将倾。原子弹、氢弹、中子弹、核武器小型化……这是于敏和他的同事们用热血创造的一次次的中国核科学领域的奇迹。

在核试验与应用的这条道路上，美国进行了 1 000 余次，而我国在以于敏为代表的一批爱国科学家的努力奋斗中只进行了 45 次，不及美国的 1/25。

面对名字解密后如潮水般涌来的荣誉，于敏讲：“一个人的名字，早晚是要没有的，能把微薄的力量融进祖国的强盛之中，便足以自慰了。”于敏的主观世界中充溢着对“生与斯，长于斯”的这片华夏土地的无穷热爱，于敏的价值观已然是超然于物外的，他已经习惯于隐藏在鲜花与掌声的背后，国家与人民对国防核事业的需要，便是他在科学领域中不断奋进的动力。

于敏用主观世界的爱国主义精神激励着自身在我国核科学领域事业中不断探索追求，从自身在核科学事业的探索中不断改造、丰富自身的主观世界，在自身作为主体与客体的相互影响、相互协调中，不断向前把实践作为沟通主体与自身主观世界的工具，使他所热爱的这片土地能够更加安稳和平地发展，使如今的我们能够更加幸福地生活在阳光之下。

“捐躯赴国难,视死忽如归”是对祖国的深切热爱,他们选择了隐姓埋名，为祖国默默奉献一生。肩负着强国兴军的使命，他们究其一生在核科学领域中摸索前进。“热爱祖国的大好河山，捍卫祖国的主权独立和领土完整，土地寸土不让，脊梁宁折不弯。”他们用尽一生诠释了对祖国的爱恋，竭尽全力让中国有勇气也更有底气地屹立于世界的东方。

如果说中华民族伟大复兴是一队破浪前行的船队，主观世界的价值取向是把握方向的舵，那么我们都是一艘艘小船，满载着希望与光明，在名为“实践”的发动机的驱动下，驶向更加灿烂辉煌的明天。

第二章　行将必至——主导与主动的关系

“茅檐长扫净无苔，花木成畦手自栽。一水护田将绿绕，两山排闼送青来。”这是出自王安石的《书湖阴先生壁》，全诗描写的都是景色，不仅有自然风光，更有庭院之景，上半句写庭院的洁净是因为主人经常打理，下半句写庭院的秀美是大自然的馈赠，全诗看似写景，实则写人。自然之景为整体景色的主导，也是全诗的写作背景，在如此优美的风景之中有一处房屋，在主人自发地、主动地整理之下，与大自然之景完美融合，这其中既有大自然的“主导”，也有主人对装点个人庭院的“主动”，最后形成了一处美好的风景。

什么是主导？“主导”的含义从“主”和“导”两个方面来理解，在现代汉语中，“主”一般指事物的主体部分或引申为主要的；“导”通常被解释为引导、疏通、启发等。主导是指起主要作用的方面或起主导作用的事物，其内涵主要包括统领、领导、指导、引导、支配、控制、保证、促进等意思，如工业是国民经济的主导、政府在分配制度改革中发挥主导作用。主导包括把握发展方向、控制发展过程、强化相关措施、保证预期效果等四个方面的内容。

什么是主动？“主动”有两层含义：一是不待外力推动而行动；二是能够形成有利局面，使事情按照自己的意图进行。换言之，主动就是不用别人提醒就能出色地完成工作，如主动帮助别人、主动跟踪系统、主动担当、积极作为等。主动包含积极的态度、敏捷的行为和坚定的决心。主动是个人态度积极的关键变量，同时也是一个国家综合国力提升的重要因素。

主导与主动是一种什么样的辩证关系呢？

首先，“主导”和“主动”在认识的不同阶段发挥着的不同作用。两者从认识主体的过程来看，是有所差异的。在认识事物前，认识的过程是“主导”发挥主要作用，“主动”发挥次要作用。比如从一个学生的学习成长经历来说，学生在学习掌握新知识、新技能时，被要求“跟着老师学”，听老师讲，完成老师布置的任务，这是教师在教学过程中发挥的“主导”作用。那是不是只需要教师发挥“主导”作用就一定能达到教育的效果呢？答案是不一定，因为这只是完成了“要我学”的初衷。高校的教育使命并不是培养答题机器而是塑造人，进而使学生实现自我，因而教育的完整链条是“我要学”的价值实现。在个人认识不断深化，实践领域不断强化之后，个人的逻辑思维能力不断提高，学生“主体”开始主动提出问题，思考问题进而解决问题，那么“主动”就开始发挥主要作用，而“主导”则发挥次要作用，也就是学生在对知识和技能有了一定了解后，开始进行主动学习、自主实践、主动探究，充分发挥主观能动性。那么在学生“主体”发挥“主动”作用后，还需不需要教师的“主导”了呢？答案是需要。学生具有了主动性，这是在教师的主导性的指引下充分发挥出来的，但是如果学生的主动性随意发挥，尤其是在没有教师的指导和规范下，那么这样的主动会有一定的盲目性。毛泽东在《矛盾论》中指出：“内因是变化的根据，外因通过内因而起作用。事物发展的根本原因，不是在事物的外部而是在事物的内部。”这里的“内因”和“事物的内部”指的就是学生主动性的发挥，而“外因”和“事物的外部”指的就是教师的主导性的发挥。因此，要正确把握认识的不同阶段，实现由“主导”到“主动”，并且在“主导”的规范下实现个人价值，这是高校学生需要培养的能力。

其次，“主导”与“主动”是辩证统一的。2022 年 7 月 25 日，国务委员兼外交部部长王毅在出席纪念《南海各方行为宣言》签署 20 周年研讨会开幕式时的致辞中指出：“继续将解决南海问题的主动权和主导权掌握在地区国家自己手中，将南海真正打造成和平之海、友谊之海、合作之海。”何为“主动权”？从这个词的拆分来理解就很好明白，“主”意味着权力和财物的所有者，“权”意味着权力，中间的“动”字是在捍卫主权的基础上的行为，因此在理解“主动权”上侧重的是权力之下，不待外力推动而行动，使事情按照权力和财物所有者的意图进行。心怀不轨的政客们总是恶意揣测这种“主动”，那么这种“主动权”的目的是什么呢？我们的答案也给得明明白白：“将南海真正打造成和平之海、友谊之海、合作之海。”这就是中国发挥主动权的真正目的。中国秉持着构建人类命运共同体的理念，促进世界和平发展。那么从“主导权”中的“导”这个字来理解，在南海问题上，中国的主导权是从世界格局出发的，展现的是大国格局和大国担当，面对的是全人类的前途和命运。

无论是“主导”还是“主动”，需要根据主体进行严格的价值规范。以核安全法律与核安全文化两方面为例。首先，我国核电在发展和运行的过程中，有着严格的安全标准，表现为核安全相关法律法规所主导的法律、制度等硬性要求，引导和支配着核安全工作。核安全法规体系在预防与应对核事故、安全利用核能、保护公众和从业人员的安全与健康、保护生态环境等角度，促进经济社会可持续发展等方面都起到了“主导”作用。

最后，在相关法律体系的主导下，我国也在不断地引导全社会共同塑造核安全文化。核安全文化的塑造则更凸显全社会包括核行业工作者、普通大众的主动性。核安全文化是存在于单位和个人中的种种特性和态度的总和，它是建立在一种超出一切之上的观念，如核电厂安全问题，由于它的重要性，必须要得到应有的重视，这是一种自内而外的主动精神。因此，从核安全法律和核安全文化的辩证关系中可以看出，核安全法律体系对核电安全起到主导作用，统领和指导着核电安全有序发展。核安全文化则是在遵守核安全法律的基础上主动塑造的工作精神和工作理念，两者相辅相成，共同促进着核电事业的安全发展。

案例展示

一、核安全治理　超越“大国主导”模式

核安全问题具有长期性和复杂性，当今世界，在全球核安全治理“大

国主导”模式下，国际核安全仍然面临着许多挑战：美国在防扩散问题上采用双重标准；《不扩散核武器条约》没有对核裁军进程提出明确的要求；作为核大国的美俄现在仍拥有几千枚核弹头，两国本应带头进行核裁军，但目前乌克兰危机等一系列问题影响美俄关系，导致核裁军进展缓慢；拥核国家仍在积极推进核武器现代化，美国核霸权主义更趋明显。

依据联合国宪章，主权国家之间应该是平等的，国际社会应该通过提升核安全保障能力来降低和平利用核能中的风险，而不是“恃强凌弱”，在核安全治理中区别对待。核安全是全球性问题，牵涉和关乎世界和平发展与人类的共同命运，业已成为全球治理的重要内容。从以上案例中不难看出，全球核安全治理“大国主导”的模式给世界核安全带来诸多威胁。虽然防止核扩散涉及国际和平与安全，但这不应成为核安全治理大国剥夺发展中国家和平行使核能权利的借口。因此，全球核安全治理需超越“大国主导”模式，超越大国思维，要考虑无核国家的利益诉求和对核安全治理进程的民主参与。如同国际秩序的演变，核安全领域的全球治理也在经历变化，治理话语权从少数国家垄断向更多国家转移。作为国际社会的主要行为体，主权国家要积极考虑并切实履行相关国际公约规定，根据国情采取最适合本国的核安全政策和措施，倡导从大国主导转为各国共同参与、履行责任，发挥主动精神。其中，大国责任与担当尤为重要。

习近平总书记在荷兰海牙第三届核安全峰会上的讲话中指出，“核安全首先是国家课题，首要责任应该由各国政府承担，各国政府要知责任、负责任”。加强全球核安全治理需要超越大国思维，摆脱“大国主导”模式，强化核安全意识，培育核安全文化，加强机制建设，提升技术水平，这既是对自己负责，也是对世界负责。同时，国际核安全问题的解决依靠合作，无论是在技术和管理上增强核设施和核材料的安全性，还是在打击国际核恐怖主义中，国际合作都至关重要，主要发挥各国在合作中的主动性。国家间的合作利于保证国家安全，并有助于推动国际安全。和平开发利用核能是世界各国的共同愿望，确保核安全是世界各国的共同责任，体现了各国在核安全事业中的主动精神。“自主和协作并重”，各国应以互利共赢为目标寻求普遍核安全，打破“大国主导”思维模式，主张加强协作、共建共享、互利共赢，既要从中受益，也要做出贡献，努力实现核安全进程全球化。同时，应倡导构建公平、合作、共赢的国际核安全体系，坚持公平原则，本着务实精神推动国际社会携手共进、精诚合作，共同推进全球核安全治理，打造核安全命运共同体，推动构建人类命运共同体。

二、维护世界和平稳定的核安全观

在2016年美国竞选总统期间，特朗普批评伊朗核协议是“糟糕的协议”，并声称当选后将退出这一协议。执政后，特朗普的所作所为也不断预示着自己对伊朗核协议的最终宣判。2017年10月13日，特朗普虽然称美国不会从伊朗核协议中撤出,但表示美国将“不认可”伊朗遵守了该协议。2018年5月8日，在美国首都华盛顿，时任总统特朗普宣布，美国将退出伊核协议，对伊朗“极限施压”，伊朗则应之以减少履行核领域承诺，这是伊朗核问题不断紧张的基本逻辑。特朗普政府退出协议属背信弃义之举，不仅遭到伊朗的强烈反对，也遭到世界上绝大多数国家的反对。

当今世界，一些核大国谋求核霸权主义，“小国背后有大国，矛盾深处是利益”，这种追求“大国主导”的行为威胁着世界的核安全。而我国一直以来坚持不干涉政策，并且始终尊重他国主权。我国在世界核安全问题上，以中间人或调停者的身份，行走在有核国家与无核国家之间，调解着同时属于这两个阵营的矛盾，发挥倡导和平的“主动”作用，而不是以“主导”来牵绊其他国家的发展。王毅表示，“中国作为安理会常任理事国，意识到对国际和平与安全承担的责任和义务，始终以建设性姿态参与了伊核谈判全过程。可以说，中国发挥了独特的建设性作用，得到各方高度赞赏和肯定。”我国在伊核问题上没有任何私利，也从未偏袒任何一方，从处理伊核问题作为根本出发点，就是坚定维护全面协议和多边主义，维护安理会权威和国际核不扩散体系，维护中东地区和平与安全，这是作为大国需要主导的方向，也是我国一直以来坚定的立场及原则。美国单方面退出全面协议后，我国始终坚持原则，忠实履行自身义务，成为维护全面协议的中流砥柱，充分发挥主动精神，即使是美国退出协议，我国依然坚定致力于维护协议的有效性，坚持向国际原子能机构的监督核查项目捐款，牵头阿拉克重水堆改造项目并持续取得进展，努力推动各方妥善管控履约矛盾，并以主动的行动，坚决反对特朗普政府在联合国安理会的单边霸凌行径，为局势向好的方向转变赢得了时间和空间。可见，我国推动解决伊核问题，是带头落实全球安全倡议的生动实践，充分发挥了主导作用。无论国际形势如何变化，我国将始终站在历史正确的一边，坚定推进伊核问题政治解决进程，坚定维护多边主义和国际核不扩散体系，为维护世界和平稳定做出大国贡献。

“权利和义务并重”，我国始终以尊重各国权益为基础推进国际核安全进程。“权力”体现的是主导，“义务”体现的就是主动。习近平总书记提出理性、协调、并进的核安全观，强调发展和安全并重，倡导打造全球核安全命运共同体，为新时期我国核安全发展指明了方向，为推进核能开发利用国际合作、实现全球持久核安全提供了中国方案，充分发挥促进核安全事业的“主动性”。此外，我国不断践行理性、协调、并进的核安全观，以“主体”的“主观”来实现“主导”的力量，推动建设公平、合作、共赢的国际核安全体系，为世界核安全做出卓越贡献。

三、为祖国改换专业

1968 年 12 月 5 日，郭永怀因飞机失事殉职，机组所有成员全部遇难，在郭永怀生命的最后一刻，他和秘书二人紧紧地抱在一起，将装着热核导弹绝密资料的公文包完整地保全了下来。1999 年,郭永怀被授予“两弹一星”功勋奖章,他是该群体中唯一一位获得“烈士”称号的科学家。2018 年 7 月，国际小行星中心正式向国际社会发布公告，编号为 212796 号的小行星被永久命名为“郭永怀星”。

郭永怀出生在山东荣成一个普通的农村家庭，20 岁的郭永怀考取了南开大学预科理工班，1933 年，24 岁的郭永怀又考入了北京大学物理系，师从著名的光学家饶毓泰。可是没过多久，震惊中外的卢沟桥事变爆发了。

1937 年 7 月 7 日，日军在北平附近挑起卢沟桥事变，从此抗日战争全面爆发，仅仅 20 多天，日军就占领了北平，且妄图“以蛇吞象”，占领全中国，进而实现征服亚洲、称霸世界的野心。北京大学被迫停课，为了躲避战乱，在国际环境的“主导”影响下，郭永怀回老家当了一名教书先生。

郭永怀

在面临外来侵略的紧张局势“主导”下，我国亟须发展核事业，抵御日本侵略。一时间，长城内外、大江南北，到处燃起抗日的烽火，中华大地掀起了惊天地、泣鬼神的反侵略战争。中华儿女同仇敌忾、众志成城，为国家生存而战，为民族复兴而战，为人类正义而战。社会动员之广泛、民族觉醒之深刻、战斗意志之顽强、必胜信念之坚定，都达到了空前的高度。直到 1938 年春天，郭永怀收到了好消息，北京大学、清华大学、南开大学在昆明组建了国立西南联合大学（现云南昆明综合公立大学），主体的“主动”意识得到激发，郭永怀辗转南下，最终来到了西南联合大学。我们讲过，在认识的不同阶段，“主导”和“主动”各自发挥着主要作用和次要作用，郭永怀自己这一段曲折的经历，再加上一路赶来见到了太多的杀戮，让他认定了一个想法：一个没有军事力量的国家就会挨打。光学固然重要，但在当时，学习航空工程才是一条更切实的救国之路，他的主观世界被改变了，外因作用在主体之上后，内因决定了事物的发展方向。因此，郭永怀在填写专业的时候竟然“主动”放弃了原来的光学专业，主动选择空气动力学专业。这份主动，饱含了郭永怀坚定的报国信念。此后，郭永怀长期从事航空工程研究，发现了上临界马赫数，发展了奇异摄动理论中的变形坐标法，即国际上公认的 PLK 方法，领导了中国的高超声速流、电磁流体力学、爆炸力学的研究，担负起国防科学研究的业务领导工作，为发展导弹、核弹与卫星事业做出了重要贡献。他心怀大我、以身许国，主动为祖国改换专业；他废寝忘食，忘我工作，在牺牲时仍紧紧抱着热核导弹试验的绝密材料，为祖国的核事业奉献了一生。

郭永怀为祖国核事业奉献的一生，正是中国科学家们深耕工匠精神、坚持创新报国的生动体现。承担大国责任，促进世界核安全，我们需要传承工匠精神，主动进行科技创新，推动我国核事业发展。如习近平总书记所说，“发展和安全并重，以确保安全为前提发展核能事业”。发展是安全的基础，安全是发展的条件。发展和安全是人类和平利用核能的基本诉求，犹如车之两轮、鸟之双翼，相辅相成、缺一不可。只有主动实现更好发展，才能真正管控安全风险；只有实现安全保障，才能使核能持续发展。

越是伟大的事业，越充满艰难险阻，越需要开拓创新。敢于开拓创新，能够打破条条框框的限制，根据实际情况不断创造独特的中国方案、中国智慧，这是百年奋斗的重要经验启示，是充分发挥出“主动”精神的结果，更是中国特色社会主义制度优越性的重要体现。创新是一个民族进步的灵魂，是一个国家兴旺发达的不竭动力，也是中华民族最深沉的民族禀赋。创新是国家前进的“主导”力量，更是每一位科研人员的“主动”精神、“主动”担当。

党的十九届六中全会从十个方面总结概括了党百年奋斗的历史经验，其中一个重要方面就是“坚持开拓创新”。中国共产党百年征程，书写了一部开拓创新的史诗。一百年来，我们党领导人民披荆斩棘、上下求索、奋力开拓、锐意进取，不断推进理论创新、实践创新、制度创新、文化创新以及其他各方面创新，敢为天下先，走出了前人没有走出的路，任何艰难险阻都不能阻挡住党和人民前进的步伐。历史只会眷顾坚定者、奋进者、搏击者，而不会等待犹豫者、懈怠者、畏难者。始终保持革故鼎新、一往无前的勇气，始终葆有善于变革、敢于创新的锐气，大国工匠的定力激扬“闯”的精神、“创”的劲头、“干”的作风，我们必定能推动我国核事业发展，促进全球核安全治理超越“大国主导”模式，构建“天下有治”的国际核安全体系，在新的“赶考之路”上交出更加优异的答卷。

第三章　真理标准——实践与认识的关系

“实践是检验真理的唯一标准”，为什么实践如此重要？什么是实践？实践是主体探索和改造客观世界的活动。人类实践使统一的物质世界分化为客观世界和主观世界，实践是主观世界和客观世界统一的现实基础。

实践是沟通主观和客观的中介，它不仅具有普遍性的优点，而且具有现实性的优点。只有实践才能把主观同客观联结起来并加以对照，从而检验主观是否同客观相符合。

真理的本性是主观和客观相一致，从真理的本性分析和实践的特点出发，得出实践是检验真理的唯一标准。

实践具有客观性、社会性和历史性。马克思主义认为，实践是认识的源泉、是认识发展的动力、是检验认识真理性的标准、是认识的最终目的。毛泽东曾指出：“马克思主义的哲学认为十分重要的问题，不在于懂得了客观世界的规律性，因而能够解释世界，而在于拿了这种对于客观规律性的认识去能动地改造世界。”实践是改造世界最直接的方法，因此实践的观点是马克思主义的首要观点。

在漫长的历史中，人们为了生存而从事各种物质生产活动，随着历史条件的变化，人们的活动也呈现不同特点，从而使实践呈现历史性特征。就拿每天都需要用到的手机来讲，谁也想象不到，仅仅百年我们便实现了远程视频、多人聊天等功能，手机的更新换代给人们带来了极大的便利，这正是实践在通信工具上的体现。

马克思说：“全部社会生活在本质上是实践的。”实践是人与世界相互作用的桥梁。楚人提出“以十人为质”的做法，实际上是以人们的生活实践来判断姜是树上结的还是土里生的,这是正确的做法。但“遍问十人”后，楚人仍然固执己见，认为姜是树上生的，则是错误的。实践与认识的意义正在于要求人们不断地解放思想、与时俱进，不断地在理论和实践上创新，使主观世界与客观实际相符合。

“物理无穷，造化无尽”的哲学寓意是，客观事物的发展过程是无限的，人们对事物的认识也是无止境的。物质世界是离开人的意识独立存在的，认识是外部世界的事物或现象在人的头脑中的反映。

什么是认识？认识是主体对客体能动地反映。反映具有摹写性，即认识是以客观事物为原型的。

认识的内容是客观的，但是，认识过程绝不是主体对客体的简单摹写，而是主观根据自身需要对对象的主动选择和观念再造。毛泽东指出：“思想等等是主观的东西，做或行动是主观见之于客观的东西，都是人类特殊的能动性。这种能动性，我们名之曰‘自觉的能动性’，是人之所以区别于物的特点。”

认识具有反复性、无限性和上升性。在认识世界的过程中，人们不仅加深了对宏观世界的了解，同时也开启了对微观世界的探索。新冠病毒虽然是新型病毒，但是人们通过实践不断加深对病毒的认识，研制、改进疫苗和治疗方法，积极保卫人民健康。

实践与认识之间的辩证关系是如何的？

首先，实践决定认识。

第一，实践是认识的来源。人们只有通过实践实际的改造和进行变革，才能准确把握对象的属性、本质和规律，形成正确的认识。毛泽东说：“你要有知识，你就得参加变革现实的实践。你要知道梨子的滋味，你就得变革梨子，亲自吃一吃。”再如学习开车的过程本就是在实践，只有通过实践开车，才能慢慢地积累经验，提高自己对开车的认识，掌握开车的技巧。

第二，实践是认识发展的动力。恩格斯说：“社会一旦有技术上的需要，则这种需要就会比十所大学更能把科学推向前进。”这说明实践的需要是认识发展的动力。例如为解决粮食问题，增加粮食产量是关键，袁隆平的杂交水稻技术，正是在团队反复进行科学实验的实践中不断发展的。

第三，实践锻炼提高了人的认识能力。人们是在实践的推动下，不断打破认识上的桎梏，引起认识上的新飞跃。认识产生于实践的需要，实践的发展为人们提供日益完备的认识工具，这些工具延伸了人类的认识器官，促使人类认识的发展，锻炼提高人的认识能力。如望远镜、显微镜、人造卫星等，这些工具拓宽了人们认识世界的渠道，促进了人们认识的发展。

第四，实践是检验认识真理性的唯一标准。车尔尼雪夫斯基说："实践是思想的真理。"人们通过实践，把指导自己实践的认识和实践所产生的结果加以对照，从而检验认识是否正确地反映了客观事物。

第五，实践是认识的目的和归宿。二十四节气是中国人通过观察太阳周年运动而形成的时间知识体系，是富有智慧的人们在长期的农业实践中形成的对于气候的正确认识，可以更好地指导农业的生产。

其次，认识对实践具有反作用。

第一，"没有革命的理论，就没有革命的运动"，表明认识能指导人们提出实践活动的方案，因而对于人们的实践活动有巨大的推动作用。例如，当需要组织大型活动时，首先就需要形成活动方案，进而对方案的可行性进行论证，然后才能推动活动顺利开展。

第二，实践与认识是我们认识世界、改造世界的重要工具，实践的开展也决定着认识的发展方向。同时，无论是从学习中获得的间接经验还是从实践中获得的直接经验，都对实践的开展起着推动或制约作用。如我们想做出可口的饭菜，首先要做的就是先学会做菜的方法，再进行操作，只有在实际操作中才能逐渐掌握做饭的技巧，改进做菜的方法，做出美味的饭菜。

实践与认识两者的辩证关系引申出知行统一的方法论。毛泽东指出："实践、认识、再实践、再认识，这种形式，循环往复以至无穷，而实践和认识之每一循环的内容，都比较地进到了高一级的程度。这就是辩证唯物论的全部认识论，这就是辩证唯物论的知行统一观。"实践决定认识，认识对实践又具有反作用，在两者之间的相互作用下，实践与认识在不同的阶段达到不同的程度，从而两者能够得到不断的发展。

案例展示

一、第一代航天材料工艺专家和技术引路人

姚桐斌，我国冶金学、航天材料、火箭材料及工艺技术专家，“两弹一星”功勋的获得者。姚桐斌出身寒门却不忘报效祖国，在海外学成归来后投身我国航天材料工艺研制事业，开拓创新，为我国航天材料工艺事业的发展奠定了基础。

姚桐斌坚持马克思主义方法论，强调一切从实际出发、实事求是，按照科学规律办事，树立严谨、客观的科研作风。他刚到材料研究所时，研究所里大都是没有经验的大学生，为了培养科研人才，促进科研工作开展，姚桐斌写了一篇关于研究方法的文章——《研究工作方法》，这篇文章总结了他以往在海外留学时所收获的实践经验，阐述了他对于尖端材料研究工作的见解。这篇文章对研究所的工作人员影响深远，具有深刻教育意义。

实践的观点是马克思主义的基本观点。在实践中，应坚持理论结合实际，遵守客观规律。毛泽东说：“人们要想得到工作的胜利即得到预想的结果，一定要使自己的思想合于客观的外界的规律性，如果不合，就会在实践中失败。”人们工作需要依照客观规律展开，脱离客观规律，工作就会与实际发展相违背，最终失败。姚桐斌为了科研工作的顺利展开，写下自己长期总结的工作经验与方法，倡导科研人员将理论与实际相结合，按照客观规律办事，为科研工作确定了正确思想路线，对科研成果的产出发挥了重要作用。

姚桐斌

在科研工作中，姚桐斌认为，苏联援助我国所提供的材料研究体制模式，虽然在苏联能够发挥作用，但是苏联与我国的国情不同，因此姚桐斌不囿于已有研究模式，开拓创新，创造出了符合我国国情的航天材料研制新模式，这正是实践、认识、再实践、再认识的过程。

为了提高创新能力，减少研发、生产、应用周期所用的时间，他提出充分发挥材料研究所的作用，将材料的研发、实验、生产相结合的新思路，大大地节约了材料研发应用时间。同时，在新思路的基础上，姚桐斌提出了中国航天材料研制的新模式，即“抓两头，带中间”。在抓好实验和生产的基础上，增强研究室研发能力。在新模式的影响下，姚桐斌主持的航天材料研究室后来扩建成为有独立研究开发能力的航天材料研究所，为增强我国自主研发能力做出了巨大贡献。

实践的开展归根到底是由实践主体来进行的，实践主体的主观因素必然影响着实践过程。此外，人处于一定的社会关系中，人的实践活动必然带着社会和历史的烙印。中苏关系恶化后，苏联撤走了在中国的全部专家，科研工作一度陷入困境。姚桐斌及全体科研人员并未止步不前，而是反复分析材料成分并不断试验，以顽强的意志和创新精神，更加积极投身科研工作，团结协作突破技术难关，克服重重困难创造出新型材料，奠定了航天器材保障基础，为我国航天材料事业创造奇迹。

实践与认识之间同样也存在着规律性，并对实践具有深刻的指导意义。毛泽东在《实践论》中给我们提供了一套完整的实践与认识的唯物辩证方法论：通过实践发现真理，又通过实践证实真理和发展真理。从感性认识能动地发展到理性认识，又从理性认识能动地指导革命实践，改造主观世界和客观世界。未经过实践的“发汗材料”课题被领导轻易否定，而姚桐斌和自己的团队经过反复实验，不断从中获得真理性的认识，通过实践，他们攻克了一个个技术难题，从而对事物的认识不断提高，最终成功研制“发汗材料”，并在新型火箭的研发中发挥了重要作用。由此可知，反复认识和实践促进了课题的成功，真理来源于实践，真理经过不断的实践得以发展，认识也得以深化。

二、一生只做两件事的“拓荒牛”

他说：“我一生只做了两件事，一件是造核潜艇，二是建核电站。”说这句话的人正是我国著名核动力专家、中国核动力事业的开拓者和奠基者之一、中国第一任核潜艇总设计师——彭士禄。

在我国的核事业领域，彭士禄院士就像“拓荒牛”一样，在核领域播种深耕，并结出累累硕果。

彭士禄

1958年，我国核潜艇研制工程启动。彭士禄受命主持潜艇核动力装置的论证工作和主要设备的前期开发。当时，我国国内没有核专业人才，在核潜艇建造方面掌握的知识近乎为零。为了实验可以顺利进行，彭士禄院士带领团队建立实验基地，动员科技骨干，培养专业人才，为核潜艇实验付出几十年的辛勤努力，成为科技人员公认的“核潜艇之父”。

在人才匮乏、实验条件落后的现实情况下，许多研究方法和数据需要科研人员亲自进行研究，彭士禄院士及其同事建造了研究基地培养专业人才，为实验推进创造更加便利的条件。实践是认识发展的动力。通过实践创造的条件加快了核潜艇的研究，为核潜艇的研究打下初步基础。

在西方国家技术封锁、苏联不予帮助的情况下，主观的正确认识是促进实践发展的精神动力与重要指导，我国必须独立自主地研发出核潜艇以增强国防实力。作为科研队伍的一员，为实现研发核潜艇的目标，彭士禄院士以“孺子牛”般的精神，在落后的条件下创造科研条件，培养科技人才，几十年如一日，辛勤耕耘，为核潜艇的核动力装置陆上模式堆顺利完成满功率的试验奠定了重要基础。

正确的认识指导实践的开展，使人们能够科学地解决实践中出现的问题，从而促进实践发展。

“真理的标准只能是社会的实践。实践的观点是辩证唯物论的认识论之第一的和基本的观点。”认识只有在社会实践中取得了预想结果才能被证实。通过实践，人们把指导实践的认识和实践所产生的结果加以对照，从而检验认识是否正确地反映了客观事物。在核动力潜艇的研制过程中，彭士禄院士敢于担当，被人们称为“彭拍板”“彭大胆”。他常对研制人员说，不要吵，做实验，用数据说话，最后他来签字。但是，彭士禄院士也有拍板拍错的时候，他说：“错了，我就改过来，再继续前进。干事情总要有点冒险精神，只要有 70% 的把握，就可以干。不然，都准备好了，还要我们干什么？”这体现的正是马克思主义的实践观点。

人的认识是有限的，没有通过实践检验，认识具有很大的局限性，即使是水平很高的科研人员，也不能在没有实践检验的情况下就了解事物的全貌。因此，彭士禄院士注重以实践来验证方案的正确性，通过实践来获得对于事物发展的正确认识，从而不断推进认识的深化，为核潜艇的理论研究奠定坚实基础。

在彭士禄院士的带领下，1970 年 8 月 30 日，核潜艇的核动力装置陆上模式堆顺利完成满功率试验。1970 年 12 月 26 日，我国第一艘攻击型核潜艇成功下水，我国成为世界上第五个拥有核潜艇的国家。

在我国核潜艇事业取得重大进展后，彭士禄院士并未就此止步。1986年，作为秦山二期核电站的首任董事长，他自主组织设计了 60 万千瓦压水堆核电的技术方案，创造了国内已建成的核电站中最低成本的纪录。

在秦山二期核电站建设过程中，彭士禄院士决定将“招投标制”引入工程建设，提高工程质量，缩短建设工期。当时正值改革开放初期，许多人“计划经济”的思想根深蒂固，反对“招投标制”，但最后彭士禄院士还是力排众议实施“招投标制”，坚持以实践检验真理，推动了我国核电国产化进程，也打破了人们心中关于计划经济的成见。

邓小平在《在武昌、深圳、珠海、上海等地的谈话要点》一文中指出，“我们改革开放的成功，不是靠本本，而是靠实践，靠实事求是”。所以，“要提倡这个，不要提倡本本”。可见，依靠陈旧认识并不能成功，只有突破束缚，在实践中检验新认识才能提高认识水平，促进实践发展。在核电站建设过程中，大多数人仍被“计划经济”的条条框框所束缚，彭士禄院士在实施“招投标制”上大胆迈出了第一步，通过实践所反映的正确性打破了人们思想上的束缚，促进了人们的认识发展。

毛泽东在《实践论》中写道:“在各种阶级的社会中,各阶级的社会成员，则又以各种不同的方式，结成一定的生产关系，从事生产活动，以解决人类物质生活问题。这是人的认识发展的基本来源。”彭士禄院士由党抚养、在百家中长大，这种特殊的经历让他对国家和人民的感情无比深厚，形成了共产主义信仰，他一生以祖国需要为准则，只要祖国需要，他可以转变研究方向，在核领域默默无闻地辛勤耕耘数十年。从第一代核潜艇，到大亚湾核电站，再到秦山二期核电站，无不倾注了他的汗水和心血。

三、神秘消失十七年的王京

王淦昌，我国著名的核物理学家，“两弹一星”功勋奖章的获得者。虽然他与诺贝尔奖擦肩而过，但他的科研成果和对祖国的贡献足以使他名垂青史。

王淦昌

1961 年，王淦昌接受国家指示，更名“王京”，秘密从事国家需要的核武器研究工作，从此彻底消失在学术的视野中。在条件极为艰苦的西北核武器研制基地，他坚持深入车间、实验室和试验场地，一丝不苟地检查实验方案和实验设备，确保每次实验的顺利进行。大家称呼他为“核弹先驱”，他却说：“这是成千上万科技人员、工人、干部共同努力的结果，我只是其中的一员。”

王淦昌在海外求学期间，刻苦学习，为之后从事核事业打下了牢固的知识基础。认识的正确性能够为实践主体提供精神动力。王淦昌的爱国精神使他关注祖国科技发展事业，即使已经享有很高的国际声誉，他仍然放弃优越条件，回到祖国，支持国家建设。

王淦昌是从事粒子研究的物理学家，但为了祖国需要，放弃了自己的研究方向和科学家追求的最高科研奖项，转向核武器研究，在研究过程中以坚定的意志克服现实困难，成为我国核领域的大国工匠。

在为中国核事业做出突出贡献后，他主动辞去了领导职务，继续从事惯性约束核聚变的研究，并时刻关注世界科学发展动向。为了我国未来科学研究不落后于人，1986 年 3 月，王淦昌与王大珩、陈芳允、杨嘉墀联合提出了“关于跟踪研究外国战略性高技术发展的建议”，也就是“863”计划，建议发展对国家未来经济和社会有重大影响的生物、航天、信息、激光、自动化、能源和新材料等高科技。这些建议受到了党中央的高度重视，进而作为高科技发展的战略性计划，为中国高技术发展开创了新局面。

认识的正确性给予实践以正确的指导。达·芬奇说：“热爱实践而又不讲求科学的人，就好像一个水手上了一条没有舵或罗盘的船，他从来不肯定他往哪里走。”正确的认识能够指导主体在实践过程中明确方向、规划路线，从而达到实践目的。王淦昌在科技发展上具有长远战略眼光，及时把握国家科技发展重要时机，联合其他科学家向中央提出高科技领域发展建议，力求缩小中国与先进国家间科技水平的差距，在有优势的高技术领域创新，解决国民经济急需的重大科技问题。“863”计划使我国能够及时抓住时代发展机遇，更快地实现科技强国目标。

认识对实践具有反作用。马克思主义哲学认为："实践主体首先是一种物质的生命体，拥有一个生命体所具有的自然力。"主体所拥有的知识性和非知识性的精神能力，能够在实践过程中给予主体指导和精神动力，使主体克服种种困难。

实践激励着人们不断前行。毛泽东在《实践论》中指出："马克思主义的唯物论，唯物的而且辩证地指出了认识的深化的运动，指出了社会的人在他们的生产和阶级斗争的复杂的、经常反复的实践中，由感性认识到理性认识的推移的运动。"核实验的推进让科学家们不断获得真理性的认识，最终促成了核爆炸的成功。一次次成功地爆炸也是对于科学家辛勤耕耘的丰厚回报，激励着科学家不断进行科学研究，从而成就更伟大的历史功绩。

《实践论》中写道："客观现实世界的变化运动永远没有完结，人们在实践中对于真理的认识也就永远没有完结。"由此可见，认识具有相对性和无限性，前人的研究成功不意味着认识的终结。创新是推动认识不断发展的重要方式。改革创新为核心的时代精神，是当代中国人民精神风貌的集中写照，是激发社会创造活力的强大力量。建设和发展中国特色社会主义是一项前无古人的创造性事业，只有坚持解放思想、实事求是、与时俱进，大力弘扬以改革创新为核心的时代精神，才能使全体人民始终保持昂扬向上的精神状态，不断推进中国特色社会主义伟大事业，激励着科学研究者为我国科学事业的发展付出努力和心血，促进我国科学技术的进步和发展。

实践没有止境，认识和创新也没有止境。我们要突破前人，后人也必然会突破我们。学习马克思主义理论的根本方法就是坚持和弘扬理论联系实际，用科学的态度对待马克思主义，并以此作为行动的指南，不断提高运用马克思主义的立场、观点和方法提高分析、解决问题的能力，自觉辨别和抵制各种思想不良文化的负面影响，不断增强服务社会的本领，自觉为实现中华民族伟大复兴的中国梦奉献青春、智慧和力量，投身于中国特色社会主义实践。

三位科学家为国鞠躬尽瘁，以一生的心血和奋斗来报效祖国，植根于我国核事业建设领域，是我国核事业发展的奠基人，为我国国防建设立下了不朽的功勋。三位科学家的一生是马克思主义实践与认识理论的生动反映，殷殷爱国情和敢为人先的创新精神让他们深耕我国科研荒地，通过实践在我国核领域上播下种子并结出累累硕果。三位大国工匠为我国的科研人员和莘莘学子做出了杰出榜样，充分体现了中华民族的深沉爱国精神和改革创新的时代精神。追寻院士足迹，缅怀工匠精神，后来者必能稳挑前辈重担，实现中华民族伟大复兴。

第四章　春华秋实——原因与结果的关系

原因与结果揭示客观世界中普遍联系着的事物，是引起与被引起、制约与被制约的一对范畴。

什么是原因？原因最早是由亚里士多德提出的，是用来回答“为什么”的。原因是引起一定现象的现象，比如引起太阳东升西落现象的原因，海水涨潮落潮的原因，苹果从树上掉下来的原因，等等。

什么是结果？结果是由原因作用而引起的现象。从现实世界的普遍联系来看，一切现象都处在无限的相互联系的因果链条之中，事物或现象之间这种引起和被引起的关系，就是因果关系。一般说来，原因在前，结果在后，比如地震引发了海啸，地震是因，海啸是果；“摩擦生热”是通过克服摩擦力做功，将机械能转化为内能，摩擦是因，热是果。

但能不能说因果关系都具有时间上的顺序性，因果关系就是前后相继的呢？答案是不能，因为有些因果关系是同时发生的。例如，在物理课上学习到的大多数力学公式就很好地解释了这一点，力学公式描述的物理现象基本都是原因与结果是同时发生的，比如在物体质量不变的情况下，合外力作用同加速度成正比，也就是牛顿第二定律，还有动量守恒定律，等等。

原因与结果是相互联系、相互作用又可相互转化的，同一现象在一种关系中是结果，而在另一种关系中则是原因，这就是原因与结果区分的不确定性。例如，一个人被石头绊倒，脚很疼，绊倒是原因，脚很疼是结果，但是下一秒这个人因为很生气，起身就踢了石头一脚，脚又被踢得很疼，这一段关系中，是脚很疼引发了情绪上的失控，这是原因，进而他又踢了石头一脚，导致脚再一次很疼，这是结果。同一现象，都是脚和石头发生了相互作用，但在两段关系中，原因与结果出现了相互转化。

正确认识和把握客观事物的因果联系是做好一切工作的重要条件。如果在没有“正确认识”这一前提条件下，那么得到的结论也固然是错误的。举例说明，福岛第一核电站至少有 4 台机组遭遇全厂断电事故，堆芯丧失冷却能力，衰变导致的停堆余热无法排出，堆芯长期得不到冷却，余热无法排出，导致氢气在反应堆厂房和乏燃料厂房不断积聚直至爆炸，致使厂房出现破损，放射性物质大量泄漏到环境中。

分析福岛核事故发生原因及事故发展进程，不同人提出了不同的观点。一种观点认为：“地震摧毁了外部电源，然后海啸淹没了应急发电机，导致交流电源完全丧失。”这种观点代表的是“福岛核事故的造成是由外部电源失效引起的”，这样的原因解释是对是错？是错的！交、直流电的丧失并非事故发生的直接原因，直接原因是配电柜的损坏。因为配电柜已损坏，即使场外电能够供应到现场也无法通过配电柜输送给相关设备控制事故进程，仍然会造成同样的事故后果。因此，事故的直接原因是配电柜的损坏而非交、直流电的丧失。因此我们强调，在给出结论之前，一定要看事物的全貌，而不能盲人摸象地给出错误的原因结果论调。

没有无因之果，也没有无果之因，但是不能把原因和结果非辩证地看作僵硬对立的两极。在现实社会中，一种现象的产生往往不止一种原因，而是由多种不同原因造成的。所以在原因的概念理解上，还可以再划分为主要原因和次要原因、主观原因和客观原因、内部原因和外部原因等。

主要原因和次要原因是从主要矛盾和次要矛盾的角度来看的。越复杂的事物，引起它的原因可能就越多，我们要抓其中的主要原因。毛泽东在《论持久战》中有这么一段关于中国胜利的条件的论述，“要有三个条件，第一是中国抗日统一战线的完成；第二是国际抗日统一战线的完成；第三是日本国内人民和日本殖民地人民的革命运动的兴起。就中国人民的立场来说，三个条件中，中国人民的大联合是主要的。”这里就揭示了什么才是我们取得胜利的主要原因。

主观原因和客观原因是从原因广度的角度来理解的。主观指人的意识、精神，主观原因就是关于人的意识方面的原因，而客观指独立于意识之外，或指认识的一切对象，客观原因就是抛开个人的主观意识之外存在的原因。

主观原因对事物发展起到了促进或阻碍的作用，而客观原因是独立于主观存在的，是不依赖于主观意识的原因。1999 年日本东海村的核临界事故，运用原因和结果的辩证法分析，事故的发生是主观原因还是客观原因？一句话来概括就是：人为操作失误和仓促的商业决定最终导致日本东海村铀处理设施发生事故。

第一，人员不遵守操作规程。为了防止临界事故的发生，避免铀的聚集量超过临界量，必须严格执行“临界管理”。所谓核临界，是指铀等核物质原子核起先发生裂变，释放出中子，中子又轰击原子核，使原子核进一步发生裂变，又释放出更多中子，持续加剧轰击原子核，引发更多核裂变，如此循环加剧，进而发生持续连锁核裂变的一个状态。日本东海村核燃料加工厂的质量控制规定中明确要求，严格控制铀的加工处理量或使用量，但本次临界事故的发生，恰恰是由于操作人员为了缩短工作时间，没有严格遵守操作规程，向沉淀槽中一次性投入了超过铀临界量的大量铀溶液，进而引发了链式核裂变反应，而这仅仅是第一个主观原因导致的事故结果。

第二，忽略对中子辐射的防护。铀临界事故时会发出中子辐射，中子辐射能穿透混凝土墙，而事故发生单位在事先却根本没有考虑对中子辐射的监测和防护，厂内没有配备必需的专门仪器用于监测中子辐射，也没有配备应对中子辐射的防护器材和用品，这些给现场救援工作带来困难，导致不少抢救人员不得不在现场外待命，延误了抢救时间。第二个原因仍然是主观原因所导致。

第三，事故报警不规范。东海村消防队接到的报警内容只讲“有急救病人，请派救护车”，却没有说明是发生了核辐射事故，从而造成抢救人员在不知实情、毫无辐射防护装备的情况下进入事故现场，因此抢救人员都遭受到不同程度的放射线辐射。这也造成整个事故后的救援行动相当迟缓，各种指挥部都是在迫不得已的情况下才临时匆匆成立。就是因为这样一个小小的操作失误，造成了事态的进一步恶化。而这第三个原因，依然是主观原因。

如果要从原则上来说，客观原因是主要的，这是因为人具有动物所不具备的主观能动性，即使客观条件很差，也仍然有可能通过主观的努力来实现我们的目标。在本案例中，我们发现此次事故中，主观原因成为主要方面。如果从事物的本质与现象方面来分析，我们就会更加清晰地认识到，事情的本质是由于资本家们对于商业利益的过度追求，导致人的主观的外化表达扭曲，进而引发了事故，产生这一无法挽回的结果。

社会实践中要求以唯物辩证法为指导，实事求是地总结经验，具体分析存在和发展的不同原因及其不同结果，要重视研究事物发展中的因果联系，根据客观事物的发展规律，善于估计工作的后果。

案例展示

一、中国核武器的发展史

中国做出发展核武器的决定是在 1955 年 1 月。朝鲜战争期间，我国第一次切实地感受到来自美国的核威胁，不仅如此，在台海危机和印度支那战争期间，美国都曾经向我们挥舞过核大棒。当时处于一个特殊的历史背景下，我们屡次面临核武器威胁，美国总统杜鲁门在 1950 年 11 月 30 日举行的一个记者招待会上被问到会不会使用原子弹的问题时，他含糊其辞地说：“要积极考虑使用核武器的事情。”

根据马克思主义原理，原因与结果相互作用，原因产生结果。将现有的原因作为条件，分析事物的发展，会让我们更好地发挥主观能动性，进而改造世界。我国面对的是国外技术封锁和国内科研条件不足等困境，从原则上来说，客观原因是主要的，但我们也常常说，人具有主观能动性，即使客观条件很差，也仍然有可能通过主观努力来实现目标。一味地把原因归结为客观条件是不利于人克服困难的，宁愿把更多的原因归结为主观，也不要归结于客观。事实上，我们正是靠着主观打拼来扭转客观的不利态势，实现矛盾对立面的转化，展现的也正是我们常说的革命乐观主义精神，这种精神也一直指引着我们前进。

要想了解中国核武器的发展史，一定要认识邓稼先，他是我国核物理学家、“两弹元勋”、中国科学院院士。在原子弹、氢弹研究中，他领导开展了爆轰物理、流体力学、状态方程、中子输运等基础理论研究，对原子弹的物理过程进行了大量模拟计算和分析，使中国迈出了独立研究核武器的第一步。他领导完成原子弹的理论方案，并参与指导核试验的爆轰模拟试验。

要知道，美国第一颗原子弹的科研队伍中仅诺贝尔奖得主就有 14 人，而我们研发小组的成员大多是刚刚走出校门的大学生，这群年轻人面对挑战的难度可想而知。邓稼先的团队，没有被外国的成就所吓倒，反而一鼓作气，去挑战、克服他们，开展实践，潜心钻研，启动了我国自主设计开发核武器的工作，年仅 34 岁的邓稼先成了领头羊。这是一支年轻的队伍，每个人专长不同，性格迥异，但是每个人都有着相同的“争气”劲儿和工作热情。他们为讨论技术问题，经常熬夜。外部因素的改变促使着内部因素的改变，我国的科技工作者们，将外部压力转化为内部动力，扬起为国铸盾的斗志，从而使内因成为引导结果的主要原因。

马克思主义理论教会我们的不仅仅是如何来认识世界，更为关键的是如何改变世界。1959 年，中苏关系降至冰点，我国下决心要在科技上自立自强。苏联专家临走时留下了关于核爆大气压的一串数字，这串数字正确与否，这关乎原子弹的成败，邓稼先在周光召的帮助下，以严谨的计算推翻了苏联专家原有的结论，从而找到了核武器内部的运动规律，解决了关系中国第一颗原子弹试验成败的关键性难题。

邓稼先（左）与杨振宁（右）

1971 年，中美关系“解冻”赴美深造的杨振宁第一时间回国探亲，回美国那天，邓稼先送他上飞机，恰在这时，他悄声问了邓稼先一个问题：“稼先，在美国听人说，中国的原子弹是一个美国人帮助研制的，这是真的吗？”邓稼先十分惊愕，可是没有说话。他说：“等我请示了领导以后，再告诉你。”不久，一封密信送到了杨振宁手上，拆开信件，是邓稼先的笔迹，“无论是原子弹，还是氢弹，都是中国人自己研制的……”

1979 年的一天，在一次原子弹航投试验中，飞机投弹后久久没有爆炸，必须有人去现场找回重要部件，邓稼先说：“谁也别去，我进去吧。你们去了也难找到，白受污染。我做的，我知道。”他用手捧着已经摔碎的核弹头（这是剧毒的危险放射物）带回实验室细细检验。理论没有问题，那么在实践中到底哪里出现了问题，会不会是我们自身独立研究的理论出了问题？还是我们制造能力太弱，做不了这么高端的武器？当时的确会有这样或者那样的猜测，包括在我国原子弹爆炸成功后，还有美国人说，中国的原子弹是一个美国人帮助研制的。但是我们知道，认识事物，把握客观规律，要注重事物的因果联系，不能有了什么样的结果，不经过实践的检验就妄加判断。经过检验，原来是飞机空投时，绑在原子弹上的降落伞没有打开，核弹头直接从高空摔到了地上。这才是事件的原因。

因为邓稼先受到了强烈的核辐射的影响，在他回北京后，被妻子硬拉到医院做检查，他的小便中都检测出了放射性物质，肝脏受损，骨髓里也侵入了放射物。即使病重期间，他牵挂的仍然是我国的国防尖端武器，并叮嘱：“不要让人家把我们落得太远。”

1986 年之前，我国一共进行了 32 次核试验，其中邓稼先在现场指挥过的有 15 次，在最关键、最危险的时候出现在阵地最前沿。1986 年 7 月 29 日，邓稼先与世长辞，他整整 28 年的秘密经历才被世人所知晓。

为了一心爱着的祖国，更多的科技工作者们依然过着“生当隐姓埋名，死亦默默无闻”的生活，他们忍受了常人难以忍受的艰苦和折磨，付出了常人难以想象的代价和牺牲。因为深爱着中国，所以深爱着中国。

二、1979年美国三哩岛核事故

人类自20世纪50年代开始开发和建设核电站，美国于1951年最先建成世界上第一座实验核电站，三年后苏联建成了第一座商用实验核电站。之后，核能进入了民用化时代，世界能源利用格局开始发生变化。

在这一过程中，人类也经历了多起核事故。三哩岛核泄漏事故（Three Mile Island Accident，简称TMI-2事故），是1979年3月28日发生在美国宾夕法尼亚州萨斯奎哈纳河三哩岛核电站的一次部分堆芯熔毁事故，此事故级别为核事故的第五级。事故发生后，全美震惊，核电站附近的居民约20万人撤出这一地区。当地居民纷纷举行集会示威，要求停建或关闭核电站。美国和西欧一些国家政府不得不重新检查发展核动力计划。

结果存在于原因之中。原因和结果相互作用，在一定条件下相互转换。简单来说，就是现在所处的状态，是由过去的某些原因造成的，同理，现在所处的状态，也将作为将来某些结果的原因。因此，在40年后分析此次事故，得出了导致此次事故如此严重的原因：

第一，设计故障导致反馈无果。早在事故发生前的1977年9月24日，同样由巴威公司设计的戴维斯贝斯核电站就发生过先导式释放阀（PORV）卡开事故。调查委员会同时发现，在三哩岛事故发生以前，在巴威公司售出的电站中，共有9次PORV卡开不能关闭的情况。而自始至终，巴威公司都没有将这一设计缺陷告知新老买主，也未在纲要中强调此事。在此次事故中，仍然是PORV卡开导致的稳压器内压力降低，出现水位上升，而运行人员根据主控室里稳压器水位上升的指示，不适当地关闭了高压安注系统。不能正确把握事物的因果联系，才使人们活动的自觉性和预见性一次又一次地被忽视。

第二个原因是事故机理分析被搁置。承认因果联系的普遍性和客观性是人们正确认识事物、进行科学研究的前提，因为因果联系是普遍存在的。早在1978年4月，一名工程师就已将稳压器水位升高和压力降低问题反馈给了巴威公司、核管理委员会和反应堆安全防护顾问委员会，然而，巴威公司直到9个月后才予以回信。事实上，该问题与1977年9月戴维斯贝斯核电站事故中已查明的工况，以及1979年3月三哩岛核电站事故即将发生的工况如出一辙，但直到三哩岛事故发生，巴威公司也未能将该问题通知其他买主。这次核事故发生的原因是从人“误”到人“因”导致的。

一定的结果都是由一定的原因引起的，这就要求人们要善于从某一行为中分析原因。

一定的原因必然引起一定的结果，这就要求我们应根据事物的某种原因，预见事物的发展结果，进而反思原因，在未来的发展生产中不断改进。

掌握原因与结果之间的辩证关系，对于我们的认识和实践也具有重要的方法论意义，有助于提高我们认识和解决实际问题的能力。

三、蓝色粉末带来的黑色梦魇

1987年10月23日，一位年仅6岁的小女孩莱德离开了这个世界。她还没有来得及感受生命更多的美好，就这样消逝了。在小女孩去世之前，她承受着巨大的痛苦，全身肿胀，身上到处都是伤口，但是她却只能一个人孤独地待在隔离的病房内，这是为什么呢?

这件事要从一个月之前，莱德的父亲带回来的蓝色粉末说起。爸爸带回的这包蓝色粉末看起来与普通的粉末相差巨大，不仅颜色非常艳丽，而且在阳光下熠熠生辉，发出令人目眩的色彩。出于好奇心，莱德将粉末涂抹在自己的身上、脸上，并招呼爸爸妈妈看自己，爸爸妈妈夸她“真是像天使一样闪闪发光！”但他们谁也没有想到，这看起来美丽夺目的粉末，就是致莱德于死地的“铯-137”。

原因与结果相互渗透，结果存在于原因之中，同时原因和结果相互作用，在一定条件下相互转换。

由于小城里的医生对于核污染造成的疾病没有正确认识，越来越多的人出现了相似的症状，原因是引起一定现象的现象，结果是由于原因作用而引起的现象，短短几天之内，就有4人因此死亡，更有200多人受到不同程度的伤害。当这件事引起戈亚尼亚政府关注并采取措施的时候，为时已晚。

因为此次事故，这里的人们被其他地区的人们所歧视，没有人愿意购买曾发生过核污染地区的任何东西，这里的经济水平急剧下降，居民陷入极度恐慌之中。

我们要正确把握事物的因果联系，一定的结果都是由一定的原因引起的。这次造成大范围核污染的结果，不仅仅因为人们对有毒化学物认识不足，而且在核污染发生后的防护措施严重不足，这在另一方面也告诉我们要善于从某一行为中分析原因，根据事物的某种原因，预见事物的发展结果，进而反思原因，在未来的发展生产中不断改进，这对于我们的认识和实践也具有重要的意义，也有助于提高我们认识和解决实际问题的能力。

原因和结果是揭示客观世界中普遍联系着的事物，引起与被引起、彼此制约的一对范畴。辩证地分析事物的因果关系，分析存在和发展的不同原因及其不同结果，增强活动的自觉性、预见性和可控性。世界上任何事物都具有因果关系，既没有无因之果，也没有无果之因，在分析事物的时候，多问几个为什么，多一些求实精神，始终保持对科学的好奇心和探索精神，具体分析存在和发展的不同原因，原因的不同方面及其所导致的不同结果，是为我们不断增长才能，搞好科学研究，打好“问”与“辩”的基础，并能使我们发挥科学精神，无悔付出，将无数的不可能变为可能。

“凡事预则立，不预则废”。青年人更要把自己的追求融入建设社会主义现代化国家的伟大事业中，树立敢于创造的雄心壮志，努力实现更多从“0”到“1”的突破，为我国科技事业贡献力量。

第五章 表里相应——本质与现象的关系

本质与现象是揭示事物内部联系和外部表现相互关系的一对辩证法的基本范畴。什么是现象？现象是事物的外部联系和表面特征，是本质的外在表现。什么是本质？本质是事物的本来或质地。与“现象”相对，本质是事物的根本性质，是事物内部相对稳定的联系，由事物所具有的特殊矛盾构成，决定着事物的性质和发展方向。

任何现象都是本质的表现，在实践中要注意把现象作为入门的向导，通过现象去认识事物的本质。本质和现象是对立统一的。比如，白骨精的本质是妖，它所变化的村姑、老妪等就是现象；资本的逐利性，就是资本的本质之一，各种选秀综艺、明星养成等引发粉丝倒牛奶事件就是现象；倒牛奶为打榜就是我们可以直接通过感官感知的；妖、资本、逐利性驱使是不能直接感观感知出来的。但究其本质，前者需要火眼金睛，后者需要抽象思维，都是不能够直接感知的，因此本质是事物内部相对固定的性质。

那么，本质和现象之间又具有怎样的关系呢？

首先，本质与现象是相互统一的。

本质决定现象，本质总要表现为一定的现象，而现象总是这样或那样地表现本质，它的存在和变化总是从属于本质。但是二者之间又相互区别，这是因为，本质从整体上规定着事物的性质及事物的基本发展方向，本质相较于现象更深刻也更稳定。现象则从各个不同的侧面反映着本质，现象比本质丰富、生动、易变。

本质是由事物的内部矛盾构成的，是比较单一、稳定而又深刻的东西，具有间接性和抽象性，需要依靠思维才能够把握，现象则是丰富、多变又表面的东西，用感官就能够感知。客观事物在其过程结束之前，本质是相对不变的，但它表现出来的现象则随着过程的展开而不断地改变着具体形态。举个例子，在学习飞行器分类过程中，飞行器的分类有很多种：按机翼的数目分类，可分为单翼飞机、双翼飞机和多翼飞机；按机翼相对于机身的位置分类，可分为下单翼飞机、中单翼飞机和上单翼飞机；按机翼平面形状分类，可分为平直翼飞机、后掠翼飞机、前掠翼飞机和三角翼飞机；按水平尾翼的位置和有无水平尾翼分类，可分为正常布局飞机（水平尾翼在机翼之后）、鸭式飞机（前机身装有小翼面）和无尾飞机（没有水平尾翼）；等等。总之，按照不同的方式分类，相应地有很多不同的飞机类型和机翼设计方案，但就其本质来看，虽然机翼结构设计的类型有很多，但归根结底是对阻力特性的影响分析，包括摩擦阻力和形阻，通过对不同形状的设计结构进行多角度的分析，结合具体的摩擦阻力和形阻数值对比，在开展具体机翼设计过程中，结合具体需求运用流体力学、结构力学、物理学等专业知识进行思考和论证。

现象是事物的外部联系和表面特征，是事物本质的外在表现。我们知道，由于事物自身的矛盾性，本质有时以假象的形式表现出来。

假象是本质的一种歪曲的表现。真相是从正面直接地表现着事物的本质，而假象则是事物本质的不一致甚至是相反现象，实际上，真相与假象都是本质的表现形式。真相以直接的形式表现本质，假象以一种特殊的形式表现本质，它是由实际存在的各种条件所造成的，假象从否定的方面来表现事物的本质，给人一种与事物完全相反的印象，掩盖着本质，具有很强的迷惑性。比如我们知道一个人是很贪婪的、吝啬的、刻薄的，现在他突然变成友善的、大方的，和他的本质完全相反，这个就叫作假象。《欧也妮·葛朗台》中的老葛朗台就是这样一个形象。葛朗台是法国索漠城中最有钱和地位的大商人。他拥有着城里最多的财富，却住在阴、暗潮、湿破旧的房子里。对待重病的妻子，他终日惶惶不安，不是为妻子病情担心，而是担心治病要花掉他很多的钱。在妻子因病过世后，他为了让自己唯一的女儿放弃妻子遗产的继承权，每天在女儿面前伪装出各种可怜兮兮的模样，一改往日刻薄吝啬的习惯，不仅开始关心女儿，还大方地增加了家庭开支，想通过这些行为来打动女儿，使其最终放弃继承其母亲的遗产，这就是假象。当欧也妮终于答应放弃继承遗产时，葛朗台又恢复了往日刻薄吝啬的行为,这就是真相。这虽然是文学作品,但在现实生活中亦是存在的。

假象的存在，明显地展现出了本质与现象之间的矛盾，因此，我们不能简单地把现象与本质等同起来。马克思曾经说过："如果事物的表现形式和事物的本质会直接合而为一,一切科学就都成为多余的了。"比如提到日本"工匠精神"，首先想到的是日本工匠的"以完美和极致为荣"，那么这是否就直接体现事物的本质了呢？日本将核污水排入大海，事关全世界人民的生命健康，此时日本的"工匠精神"是否发挥了应有的作用呢？日本"工匠精神"停留仅仅在对职业的敬畏与偏执，对于国家和世界的责任与担当却表达寥寥。既然日本将一个物件的制作都可以表达到极致，为何不在核污水处理上也充分展现一下"工匠精神"呢？日方声称所排放的污水通过废水处理装置稀释，已经达到排放标准，甚至是可以饮用的标准。那么问题来了，既然可以饮用又为什么要排入大海波及他国呢？这么安全不如自己留着喝。俗话说"己所不欲勿施于人"，日本的说法与做法显然是自相矛盾的，而此时，日本"工匠精神"代表的也只是个人，全无大国情怀,也更难有大国担当。甄别这一表象背后的本质,需要剖析事件的全貌,需要一切科学的分析，不是通过几个物件去表达所谓的极致，而是要观察一个人、一个国家在面对大是大非的时候，究竟是怎么说怎么做的，才可见其本质。

本质和必然性、规律是同等程度的概念，组成事物的要素以及要素之间的关系结构，这是事物的本质存在的客观基础，一个事物和其他事物的本质区别是由事物的各个特殊的组成要素及其关系结构决定的。人们对事物的认识，就是要透过现象认识本质，并把握事物的发展规律。这种认识是一个艰苦的、反复的过程，只有通过在实践中对多方面现象的分析研究，去粗取精、去伪存真、由此及彼、由表及里，才能实现从现象到本质、从不甚深刻的本质到更深刻的本质的深化无限过程。

透过现象把握其本质是科学的基本任务。认识是一个由现象到本质的深化过程。

一方面，事物的本质存在于现象之中，离开事物的现象就无法认识事物的本质，事物现象和本质的统一，为科学认识提供了可能性，比如我们观察到太阳东升西落这一现象，进而经过研究发现，太阳东升西落属于昼夜交替，是由地球自转产生的。

另一方面，现象又不等于本质，把握了事物的现象，并不等于认识了事物的本质，现象和本质的矛盾，决定了认识过程的曲折性和复杂性，比如从地心说到日心说的认识过程，就是一个科学认识不断深化的过程。

客观事物的发生、发展和灭亡有一个过程，它的本质的暴露也有一个过程。因此，人们对事物本质的认识必然要经历由片面到全面再到逐步深入的过程。

认识是一个曲折式前进和螺旋式上升的过程，客观事物不仅包括现象和本质两个方面，而且本质自身具有层次性，人们对事物的认识总是由现象到本质、由不甚深刻的本质到较深刻的本质的无限深化的过程。例如，人们对自由落体运动的认识，就是一个在曲折之中不断深化、透过纷杂的现象探寻事物本质的过程。古希腊科学家亚里士多德提出自然归宿论的天然运动理论和落体规律，认为重的物体下落得快；1585 年，意大利物理学家贝内代蒂用归谬法来批驳亚里士多德对自由落体运动的看法；1586 年，西蒙・斯蒂文和德・格罗特在代尔夫特进行了自由落体实验，否定了亚里士多德重物比轻物下落速度快的理论；后来，伽利略通过斜面实验及定量分析，得出了自由落体运动是匀变速直线运动的结论。

人们对自由落体运动的认识就是一个透过现象逐渐剖析本质的过程，是一个在曲折前进之中不断深化的过程。人们的认识过程是一个从个别到一般，又从一般到个别的过程。而且，当人们认识了许多不同事物的特殊本质以后，通过抽象以及概括、总结，可以由某些事物的特殊本质进而认识各种事物的共同本质，而对客观事物普遍本质的把握，又会促进对事物特殊本质的再认识。这是一个由现象到本质、由特殊本质到共同本质、由初级本质到更深刻的本质、由感性到理性的飞跃，是人类认识由浅入深、不断深化的辩证过程。

正确把握本质与现象的关系具有重要的方法论意义。“如果事物的表现形式和事物的本质会直接合而为一，一切科学就都成为多余的了。”科学的任务就在于辨别真相和假象，并且透过现象把握本质。

案例展示

一、用光学改变中国的老人

王大珩，我国近代光学工程的重要学术奠基人、开拓者和组织领导者，为我国国防光学工程、空间科学技术、激光科学技术、仪器仪表等事业的创建和发展做出了突出贡献，被誉为“中国光学之父”。

王大珩

光学是“两弹一星”的配角，但它作为探测、测量、观察、记录、通信等手段，发挥的作用却是不可替代的。

1953 年 1 月 23 日，中国科学院仪器馆正式成立，于 1957 年 4 月更名为“中国科学院光学精密机械研究所”（简称“光机所”）。在光机所建成后，苏联专家曾断言：“从你们目前精密仪器的落后状态来看，12 年内你们中国根本就不可能做什么电子显微镜。”苏联专家的态度刺伤了王大珩，但这并没有动摇他要将科研事业进行到底的决心。

在王大珩人生重要节点上，他做出了符合国家需要的人生抉择，坚定地走在科技报国的道路上。他带领科研人员克服重重困难，进行了大规模的技术攻关，在1958年成功研制出“八大件、一个汤”，即大型电子显微镜、高温金相显微镜、万能工具显微镜、多倍投影仪、大型光谱仪、晶体谱仪、高精度经纬仪、第一台光电测距仪等8种有代表性的精密光学仪器和一系列新品种光学玻璃。王大珩带领爱国科研工作者们攻坚克难，用实际行动打破了苏联专家的论断。“八大件、一个汤”的试制成功，标志着我国在光学精密仪器的主要方面已经追平甚至超越世界先进水平，能够独立解决我国光学工业中的重大技术问题，成为我国光学仪器研制的里程碑。

本质决定现象，现象体现本质，王大珩之所以能够取得如此众多的卓越成就，为我国的科研事业和国防事业做出如此巨大的贡献，与他深挚的爱国精神和浓厚的家国情怀是分不开的，是爱国精神这一本质，指引着他始终前行在科技报国的道路上。

王大珩始终心系着祖国科研事业。我国应用光学事业不断向前发展，从探索、起步到走上高速发展道路的艰难历程，王大珩都时刻参与并起着关键的推动作用。不仅如此，他思想也丝毫没有因为自己党外人士的身份影响科研工作，处处以共产党员的标准要求自己，终于在63岁得偿所愿，成功加入了中国共产党。王大珩说：“我们这代人是习惯把做事放在第一位的，个人生活其次。我们做起事情来，从来不会从个人生活的角度考虑问题，都是从国家考虑，从事业考虑。无论怎样艰苦的地方，大家都是高高兴兴地打起铺盖卷说去就去了。”

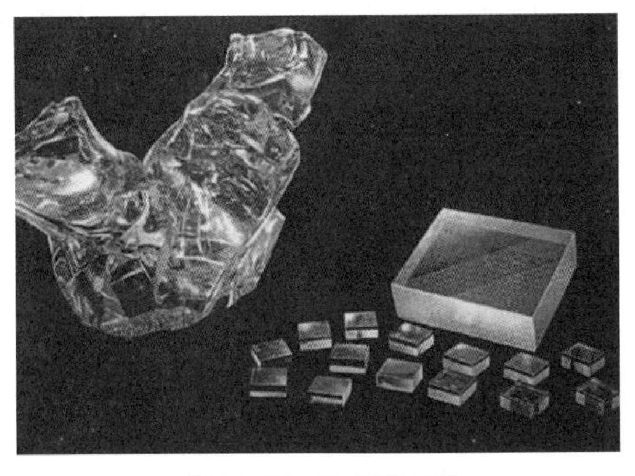

新中国第一炉光学玻璃

正是因为内心有深厚的爱国情怀，王大珩才会选择走上科技报国的道路，并在遇到困难与挫折的时候能够勇敢地迎难而上，将小我毫无保留地奉献给了大我，这是他爱国精神的崇高体现。在这种爱国精神的指引下，王大珩将他的爱国情怀化作实际行动，以科技报国的实际行动证明了他的赤子之心，为我国的国防事业和科研事业做出了不可磨灭的卓越贡献。

二、国家需要　我就去做

2021 年 2 月 22 日上午，北京人民大会堂北大厅气氛热烈。“两弹一星”功勋科学家、92 岁的探月工程首任总设计师孙家栋院士乘坐轮椅入场，在场的航天人纷纷鼓掌，向老科学家孙家栋致敬！

孙家栋乘轮椅入场

20 世纪 70 年代，孙家栋带领团队研制我国第一颗返回式遥感卫星，在发射时出现了意外，卫星坠落。震惊与心痛过后，孙家栋带领科研人员在天寒地冻中把大片的沙漠翻了一尺多深，拿筛子把炸碎的火箭卫星残骸筛出来，最终找到了失败的原因。一年后，一颗崭新的卫星腾空而起。

孙家栋是我国人造卫星技术和深空探测技术的开创者之一、中国航天科技集团有限公司原高级技术顾问，被业界公认为中国的“卫星之父”。他被称为中国航天的“大总师”，为中国的航天事业做出了不可磨灭的重要贡献。

孙家栋

当国家启动嫦娥一号探月工程时，已经 75 岁的孙家栋毅然接下了首任探月工程总设计师的重担。大多数人在这样的高龄都功成身退，他却冒着风险出任探月工程总设计师。对此，孙家栋只有一句话：“国家需要，我就去做。”在嫦娥一号顺利完成环绕月球的那一刻，航天飞行指挥控制中心里，大家从座位上站起来，欢呼雀跃、拥抱握手，此时孙家栋却走到了一个僻静的角落，悄悄地背过身子，掏出手绢偷偷擦眼泪。

孙家栋为了祖国的科研事业和国防事业，奉献了自己宝贵的青春，并一生为祖国的航天事业奋战。

本质决定现象，任何现象都在一定程度上体现着本质。透过孙家栋科技报国的人生选择，我们可以看到他深厚的爱国精神。孙家栋的心里装着的是航天事业，是人民、是国家，这种本质从整体上引导着事物的发展方向，单一、稳定而又无比深刻，指引着他的行动，指引他不追名逐利、不随波逐流，始终前进在潜心科研、奉献家国的艰苦道路之上。

现象是由本质产生的，总是从不同的侧面这样或那样地体现着事物的本质，它的存在和变化归根结底是从属于本质的。在国家需要之际，孙家栋毅然选择隐姓埋名、默默奉献，为国防事业贡献一份力量，将自己的一生全部奉献给了祖国的科研事业。孙家栋的爱国精神体现在他的坚决归国报效祖国的态度和决心之中，体现在他夜以继日艰苦奋斗的科研精神之中。

在我们的国家，还有许多像孙家栋一样默默无闻、埋头苦干，为祖国的科研事业奋斗终身的优秀科研工作者，在他们伟大的科技报国行为的背后，都有着浓厚的家国情怀作为支撑，他们的行为背后的本质，是深挚而纯粹的爱国精神。正是他们心中的伟大爱国精神，指引他们为祖国贡献了无数熠熠生辉的科研成果，为国家贡献了坚强的科研力量，守护着人民幸福美好的生活，守护着国家的安定，让中华民族屹立于世界民族之林，让如今崭新而美丽的中国傲然屹立在世界的东方。

三、科学没有国界　科学家都有祖国

他是“从牛到爱”的践行者、裂变之光的发现者、核能事业的开创者、赤诚纯粹的爱国者。钱三强，我国著名核物理学家、我国原子能科学事业的创始人、“两弹一星”功勋奖章获得者、中国科学院学部委员。

钱三强用为国奉献的一生标注出中国核武器的转折点，被誉为“中国原子弹之父”。

1936 年，钱三强远赴法国，在巴黎大学镭学研究所从事原子能核物理研究，师从约里奥—居里夫妇。1947 年，钱三强夫妇在欧洲研学期间，取得了卓越的学术成就，钱三强已经在法国科学界站稳脚跟，那时，所有人都认定钱三强夫妇将会留在欧洲从事科研，但是，在强烈的爱国精神的指引下，为了拯救内忧外患、陷于危难之中的祖国，他们最终选择了科学强国与科技报国的艰苦道路。

他们毅然放弃了国外优越的条件，决定回到祖国，为国家的未来贡献出属于自己的力量。钱三强后来解释了回国的动因：“虽然科学没有国界，但科学家都是有祖国的。正因为祖国贫穷落后，才更需要科学工作者努力去改变她的面貌。”在爱国这一精神本质的指引下，1948 年 5 月，钱三强回到战乱中的祖国，开始了他为中国原子能科学事业奋斗的历程。

钱三强

回国后，钱三强便全身心地投入原子能事业的开创工作中。他不仅自己全身心地投入科研事业之中，还为核事业聚集起大批人才。他领导的原子能所，集聚了大批优秀的爱国科研工作者，拥有“满门忠烈”之誉。周光召曾经这样评价钱三强：“熟悉钱先生的人，不会忘记他那宽阔的胸怀，勇挑重担的气魄，杰出的组织才能，甘为人梯的精神，谦逊朴实的作风，以及只求奉献不求索取的高风亮节。在钱先生身上，科学和道德达到了高度的统一。”科学研究上的创新力、战略判断上的预见力、“两弹”研制上的领导力、道德品行上的感召力和社会发展上的影响力，都充分说明钱三强是战略科学家的杰出典范，老一辈科技工作者的卓越代表，新一代科技工作者的光辉榜样。

钱三强的爱国精神稳定而深刻，指引他为中国原子能科学事业的发展呕心沥血、鞠躬尽瘁，为祖国的科研事业和国防事业做出不可磨灭的卓越贡献，他所有科技报国行为的本质都是出于他坚定而又深刻的爱国精神。

“学以致用，报效祖国”是钱三强毕生的追求。为了内心崇高的追求，他在战乱中献身于科学事业，在祖国最需要的时候毅然归国。他成就了自己，更成就了祖国，实现了自己“光明的中国，让我的生命为你燃烧”的报国宏愿。

本质与现象作为唯物辩证法的一组基本范畴，体现在社会生活的方方面面。当今世界，科学技术的地位越来越重要，国际竞争的实质已成为国与国之间以经济和科技实力为主的综合国力的较量。

科学技术是第一生产力，我国正大力实施科教兴国和人才强国战略，以培养一批优秀的科技人才。在这样的时代背景下，涌现了一批优秀的爱国科研人才，他们在自己的岗位上潜心科研，兢兢业业，立志报效祖国，为实现中华民族伟大复兴的中国梦贡献了力量。

重温王大珩、孙家栋和钱三强三位科研工作者的先进事迹，通过唯物辩证法对其爱国经历进行分析，我们可以看到，每一位立志科技报国的科研工作者心中，都有着伟大的爱国精神作为坚强的支撑。反观国内一些崇洋媚外的“知识分子”，表面看起来道貌岸然，实际上心中已然没有了爱国精神，没有了坚定的理想信念，为了所谓名利离开祖国，还对养育他们的祖国进行诋毁。究其本质，是其内心没有强大的爱国精神作为支撑。

习近平总书记说：“青年一代有理想、有本领、有担当，国家就有前途，民族就有希望。”广大新时代的青年，要学习爱国科学家们的先进事迹，树立伟大爱国精神，树立坚定的理想信念，为中国人民谋幸福，为中华民族谋复兴，为国家发展贡献出属于新时代青年的一份力量。

第六章　运筹帷幄——宏观与微观的关系

“横看成岭侧成峰，远近高低各不同。”从正面、侧面看庐山山岭连绵起伏、山峰耸立，远近高低各个角度看庐山呈现的都是不同的样子，那么这座山到底是什么样子的呢？“不识庐山真面目，只缘身在此山中。”之所以辨不清庐山真正的面目，是因为身处在庐山之中。这就揭示了，如果要想全面准确了解一个事物，就需要综合宏观和微观两个方面，厚此薄彼只会无法“识得真面目”。

那么什么是宏观？什么又是微观？简而言之，宏观就是指从大的、总体的方面去观察，微观就是指从小的方面去观察。宏观的信息数据笼罩微观个体，微观信息数据映射宏观层面。宏观与微观是互为补充、互为支撑的关系。

日常生活中，我们常常用到宏观层面与微观层面这两个概念；研究社会总体发展规律的科学，我们称之为宏观社会学；研究某个社会特殊现象、局部现象的科学，我们称之为微观社会学；从整体上研究经济发展规律的科学，我们称之为宏观经济学；从局部的深层次上研究某种经济现象的科学，我们称之为微观经济学。在自然科学中，微观世界通常是指分子、原子等粒子层面的物质世界，而除微观世界以外的物质世界被称为宏观世界。

宏观指的是从我们可观可测的角度，比如化学试验水的电解：将正负电极插入水中，正负电极上产生气体，把负极产生的气体收集起来，点燃，产生淡蓝色火焰，我们会听见“嘭”的响声，并且试管壁有水珠产生；正极产生的气体，用带火苗的小木棍放在试管口，小木棍燃烧起来了，我们观察到的这些现象就是宏观。做科学研究，宏观上准确而细致地观察是第一步，也是非常重要的一步，但如若仅仅停留在这一步是不够的，是不能够帮助我们揭示微观世界乃至认识事物本质的，因此，我们从化学方程式开始就进入了微观领域，$2H_2O=2H_2\uparrow+O_2\uparrow$，条件是电解，从微观领域我们分析得出产生的两种气体，负极产生的是氢气（H_2），正极产生的是氧气（O_2），水中有氢元素和氧元素，在电解条件下这两种元素可以从水中分离出来。这就是从宏观和微观两个层面，系统全面地分析了事物的本质。

宏观与微观之间也可以互相影响。比如发展中国家的进步必将引起世界政治格局的变动，这是从宏观层面对变局进行的总体描述。那么从微观层面对变局的影响主要体现在一些不确定因素上，如国际交往中的争端、冲突与矛盾根本是由国家利益决定的，国家利益是世界变局的根本核心，而有时恰恰是这些不确定因素加速了世界格局的演进和变革。

在生活中，国家通过一些手段，使市场主体平稳运行，这就叫宏观调控。今天菜价涨了几毛，明天跌了几分，这些日常价格浮动相对于整个大环境市场就是微观变动。运用马克思主义原理这个工具去解释宏观与微观，即矛盾的普遍性和特殊性是辩证统一关系。

矛盾的普遍性，就是从宏观出发，即矛盾的共性，矛盾的特殊性，也就是从微观出发，即矛盾的个性。任何现实存在事物的矛盾都是共性和个性的有机统一，共性寓于个性之中，没有离开个性的共性，也没有离开共性。认识的一般规律就是由认识个别上升到认识一般，再由认识一般到认识个别的辩证发展过程。从微观到宏观，然后再从宏观到微观，分析背后原因，从而更加深刻地认识事物的本质。

如何认识宏观与微观之间的辩证关系，这一点可以从理解战略和战术的关系这个角度来分析。什么是战略？“战”指战争，“略”指“谋略”。春秋时期孙武的《孙子兵法》被认为是中国最早对战略进行全局筹划的著作。战略就是从一个宏观层面上分析仗要怎么打。但是战略不等于结果，战略制定了以后，结果还很遥远，还有很长的路要走。中国电影、话剧的开拓者洪深在《戏剧导演的初步知识》上篇五中指出：“兵书上说得好，战略与战术乃二个全异之行动。战术是关于战斗诸种行动之指导法，战略乃联系配合各种战斗之谓。战略为作战之根源，即创意定计；战术乃实行战略所要求之手段。”可见，战略是一种从全局考虑谋划实现全局目标的规划，是宏观的；战术只是实现战略的手段之一，是从具体而微的层面上行动。战略是一种长远的规划，是远大的目标，往往用于规划战略、制定战略、实现战略目标的时间是比较长的。争一时之长短，用战术就可以达到，如果是“争一世之雌雄”，就需要从全局出发去规划，这就是战略。党的二十大报告中指出，全面建成社会主义现代化强国，总的战略安排是分两步走，描绘了从现在到21世纪中叶我国现代化建设的宏伟蓝图。“两步走”战略，对奋斗目标的内涵有了具体设计和微观描述：从2020年到2035年基本实现社会主义现代化；从2035年到本世纪中叶把我国建成富强民主文明和谐美丽的社会主义现代化强国。这就是一个从宏观谋划再到微观具体落实的过程。

下面从核学科领域来看宏观与微观。

在自然界里，能量以微观粒子的形式向四周辐射，根据辐射出的微观粒子差异，主要分为α、β和γ三种射线。而核辐射作为宇宙演化的一种方式存在于我们的四周，在宏观世界中，我们无法避开核辐射这个大环境。根据核安全综合知识，公众所受天然辐射个人年有效剂量为3.13毫希。这里包括来自宇宙射线的外照射0.36毫希，来自陆地伽马外照射0.54毫希、来自氡气的内照射1.56毫希、来自其他食物的内照射0.67毫希。因此核辐射无处不在，只是因地域而存在差异。例如，在含有金属矿物质元素的山洞中，我们所受到的核辐射较之于一般的房屋内更多。

在核电站的核辐射则与核反应有关。核反应是使原子核发生变化的反应，即原子核反应。其中最著名的例子是微观世界中，中子与铀-235原子核的反应，使铀-235原子核发生裂变而释放出巨大的能量。而核电站则通过可控制的原子核反应，用于发电。在核反应中，一般反应后会有放射线放出，这是由于核反应中原子核的构成发生了变化，在反应释放的能量中，部分以光的形式放出，它是γ射线的高能量光，这种射线照射到人体会发生辐射伤害。但核电站在设计和运行过程中已经考虑到了这种因素，例如设置安全壳等阻止射线向外辐射。

因此从宏观角度来说，应树立一个观念，即自然界的核辐射是无处不在的，核辐射并不是那么可怕。从微观角度要认识到，核电站核辐射的发生与核反应有关，而核反应是原子核内的反应，是可控的。因此，在面对核辐射的问题上，一方面要高度重视核电站的安全，另一方面也不能因噎废食，要正确认识核辐射，利用核反应，为人类在能源安全上带来有益帮助。

案例展示

一、最晚被解密的“两弹一星”元勋

“人生为一大事来。他一生就做了一件事，但却是新中国的血脉中，激烈奔涌的最雄壮的力量。细推物理即是乐，不用浮名绊此生。遥远苍穹，他是最亮的星。”这是2011年感动中国人物朱光亚的颁奖词。

1999年9月18日，在人民大会堂由中共中央、国务院、中央军委隆重召开的表彰大会上，朱光亚与其他22位功勋卓著的科学家被授予“两弹一星”功勋奖章，这是我国科技界的至高荣誉。可能不像其他赫赫有名的科学家，朱光亚老先生一生只做了一件事，却被誉为中国科技的“众帅之帅”。他与钱学森一起登上《纽约时报》，被称为钱学森“背后的人”，朱光亚老先生“一生就做了一件事——搞中国的核武器”。但就这一件事，足矣。

朱光亚

我们从宏观的角度来看，朱光亚老先生始终处于我国核武器发展科技决策的高层。在核武器技术发展的每一个重要关键时刻，都凝聚了他的智

慧和决心。无论是发展方向的抉择，还是核武器研制和核试验关键技术问题的决策，他都起到了主导作用，为中国特色核武器事业的持续快速发展做出了卓越贡献。朱光亚老先生亲自编写了我国核武器的两个“纲领性文件”，这两份文件对后来的原子弹研制工作起到了十分关键的作用。而在我国第一颗原子弹研制的关键时期，美、苏、英签订了《禁止在大气层、外层空间和水下进行核武器试验条约》，妄图把我国核武器事业扼杀在摇篮里。朱光亚老先生在调研后写出了“停止核试验是一个大骗局”的报告，还说：“我们绝对不能上他们的当，我们不仅能试，反而还要抓紧，时机时不我待。”其实一个人，想要做好一件事很简单，只要坚持不懈地去做，有一句话说得好，只要你在这个专业里投入几百个小时，你就会成为熟练工，几千个小时，你就会成为精英者，几万个小时，你就会成为大师，而笔者相信朱光亚老先生投入了更多的时间。1964 年 10 月 16 日，大漠升起蘑菇云，代表了我国科学技术的新水平，打破了核垄断和核讹诈，提高了我国的国际地位。那日，朱光亚老先生不禁潸然泪下，他说：“我这一辈子主要做的就这一件事——搞中国的核武器。”

在“两弹一星”元勋中他的名字是最后一个被解密的，他是中国核事业的领航人，他心系祖国，一生只做了一件事但却是新中国血脉中激烈奔涌的最雄壮力量。他保卫的是国家，捍卫的是尊严，展示的是中华民族的铮铮傲骨！

二、隐姓埋名为报国的奇女子

“今天的核工业人，也许不用再和爱人上演一场‘沉默的相遇’，但这仍然是一份默默无闻的工作，有些任务还需要和家人长期分开，并且对家人保密。‘干惊天动地事，做隐姓埋名人’，在核工业人的接续奋斗中我们看到了王承书的影子……”

在电影《我和我的祖国》中，演员张译呈现了一场“沉默”的相遇：一个内向的男孩冒着核辐射危险成为“逆行者”，他与女友在一辆公交车上相遇，因工作高度保密而拒绝相认。这一角色的沉默，就是为了 1964 年

10 月 16 日那一声巨响，茫茫的戈壁滩上升起了无比壮观的蘑菇云，我国第一颗原子弹爆炸成功，这一声巨响震惊了世界。这枚“原子弹”的背后，离不开科技战线上很多无名英雄的默默付出，而其中就包括一位女英雄——王承书。

王承书

新中国的诞生，强烈地激起了王承书报效祖国的赤子之心。虽然现阶段中国穷，科研条件差，但她坚定地表示：条件是要人去创造的，不能再等别人来创造条件，要加入创造条件、铺平道路的行列。王承书让西方科学界深信，她若继续在美国坚持研究下去，日后有极大可能获得诺贝尔奖！回国前，王承书夫妇因为在物理学方面颇有建树，物质生活上很富裕。体面的工作、优厚的待遇、幸福的家庭……对于大多数女性而言，都应该对这种生活状态感到满足了。王承书后来回忆说：“当初，不是我不爱美国的优厚生活，而是我更爱自己的祖国。”

从微观来看，正是一些关键性的选择决定了一些关键技术的走向：正当王承书老先生准备在热核聚变领域进行更深层次的研究时，一个突然的情况，不得不让她再次从零开始，而且让她从国际物理学领域彻底“消失”了。当时，我国浓缩铀生产陷入困境，而浓缩铀是制造原子弹的核心技术。面对这种形势，1961 年 3 月，钱三强再次找到王承书：“承书同志，现在国家需要你再次转行，这件事情要绝对保密，你看行吗？”王承书不假思索地说出“我愿意”这三个字。这次的选择，意味着她要放弃之前在物理学领域取得的所有成就，从此隐姓埋名。钱三强对王承书强调，这件事情连丈夫张文裕都不能告诉，而且可能要和家人分开很久，也许还要隐姓埋名一辈子。王承书默默地说没关系。设想我们放弃了功与名，而用自己最平凡、最朴素的感情去投身到祖国，而从这一件小事，我们就能看到，王承书老先生这份伟大的科学家精神，这种对祖国强烈的爱。

王承书生前工作过的地方位于天津的核理化院。在主楼一层，一尊白色雕像居于正中间位置。从一个狭小的电梯上到四楼，一间间朴素的办公室，让人仿佛回到了20世纪八九十年代，时间在这里似乎按下了暂停键。从宏观来看王承书，如果用两个字评价她的话就是：朴素。她讲过这样一段话："现在有人弃祖国而去，有人出国学习不愿回来，而我却要纪念我回国的日子。有人说中国穷，搞科学没条件，其实我们回来时何尝不知道那时的条件更差。30年了，至今我可以聊以慰藉的是，我的选择没错，我的事业在祖国。"核理化院仍然保持着这份朴素，相信这份朴素会随着一代又一代地传承永远流淌下去。

三、中国航天的总总师

他是密歇根大学博士，在新中国最需要人才的时候，毅然放弃美国的优越生活，回国开启了"两弹一星"的征程！1960年，苏联专家撤走了，西方放言："中国导弹夭折了"。他带着火箭的发动机研制组来到了北京的南苑，在一个漏风漏雨的修理厂中，他和小组成员仅凭最简陋的板凳和工棚，硬是让我国仿制的第一枚液体近程导弹，发射成功！这个人就是任新民。

任新民

东风 3 号发射时，火箭屡次冒烟。经过分析以后，他力排众议，决定继续发射。“决策错了我负责”，最终，中程导弹发射成功！长征 4 号发射时，他已经 70 岁高龄，仍然坚持力挺新型氢氧发动机。有领导问，对发射成功有把握吗？他说：“不成功我负全责，包括坐牢、砍头！”中国火箭，自此踏上新征程！他被称为“放卫星的人”，因为，中国第一颗人造卫星“东方红一号”，正是由他负责领导设计和发射升空！

1984 年 4 月 8 日，“长征三号”搭载“东方红二号”试验卫星发射升空，20 分钟后，广播里传来振奋人心的喜讯：“火箭分离正常，卫星进入地球同步转移轨道！”中国第一颗通信卫星做好了进行通信试验的准备。1984 年 4 月 18 日，北京和新疆实现了第一次卫星通话，也就是在这一天，中国中央电视台实现了第一次电视直播。这份巨大的成功离不开他的贡献。

他严谨负责、精益求精，虽然我国成功发射了“东方红一号”卫星，但其运行高度与通信卫星需要到达的高度相较还有很长一段距离。为了能顺利把卫星送到所需的高度，任新民把注意力集中到“长征三号”运载火箭第三级动力装置上。所有的争议都围绕着燃料展开，究竟是该采用常规推进剂还是采用液氢液氧为推进剂。经过反复研究讨论，任新民对氢氧发动机进行了多项调整。在随后的简易试车中，发动机启动干净利落，也没有再出现缩火现象，他一直揪着的心终于放了下来。我们都知道，发射火箭需要精密的计算，一个微小的失误都会导致巨大的火箭发射失败，而正是他事事都较真、事事都求真的这种精神，融入了他的人生品格之中，才会使得我们国家拥有了这么大的成就。

从参与研制第一枚地地火箭到发射第一颗人造卫星再到试验卫星通信、实用卫星通信、“风云一号”气象卫星等 6 项大型航天工程的总设计师任新民见证了中国航天的辉煌发展历程，被誉为中国航天“总总师”。他一生波澜壮阔，却能说出“一生只干了航天这一件事”“个人前途在祖国面前，不值一提！”

对每一位科研工作者来说，要将实现个人价值同投身于建设祖国的行列紧密结合起来。实现人生的价值，不仅需要社会提供的生存条件、发展条件、工作条件等客观条件，更需要顽强拼搏的劲头和自强不息的精神等主观条件，有具体而微的，更有宏大高远的。祖国的未来，需要每一位科研工作者努力提高个人才能，全面提高个人素质，无论从微观层面的具体工作，还是从宏观层面的理想信念，都需要有正确价值观进行指引。

一代人有一代人的奋斗，一代人有一代人的担当。当今世界正经历百年未有之大变局，我国更是需要加快科技创新，攻克核心技术，取得重大突破。既要从宏观的、大的方向去把握，无论是哪位科学家，他们的钻研精神都是需要认真学习的；也要从微观的、小的细节去领会，因为每一位科学家的精神同而有异，要以专济通，通过细节来把握，在砥砺自我中实现人生价值，为他人、为社会多做贡献，多尽责任。

第七章　勠力同心——整体与部分的关系

“单丝不成线，独木难成林。”这体现的是整体与部分的辩证关系。整体与部分也称为“全局与局部”。

什么是整体？整体是指一个由有内在关系的部分所组成的体系对象。各个组成部分存在着一定的内在关系，或功能互补，或利益共同，或协调行动等。简单地说，就是一个有组织的事物。

什么是部分？部分一般是指整体中的局部；整体里的一些个体。在这句俗语中，“线”和“林”是整体，“单丝”和“独木”是部分。事物的整体和部分是密不可分的，世界上的一切事物、一切过程都可以分解为若干部分：整体是由它的各个部分构成的，没有部分就无所谓整体；部分是整体的一个环节，离开整体，部分就不称其为部分而只是特定的他物，没有整体就无所谓部分。这就好比飞机和机翼的关系，如果一架飞机没有了机翼，那么这架飞机就不是一架完整的飞机；同样，如果机翼脱离了飞机，那么机翼也就失去了原本的作用。

整体与部分是辩证统一的，要坚持整体与部分的统一。“五位一体”总体布局体现了整体和部分的辩证关系方法论。中国共产党站在历史和全局的战略高度，在党的十八大报告中提出：“中国特色社会主义，总依据是社会主义初级阶段，总布局是‘五位一体’，总任务是实现社会主义现代化和中华民族伟大复兴。”那么，如果说“五位一体”总体布局是整体，我们从政治、经济、文化、社会、生态文明这五个方面进行建设指的就是部分。唯物辩证法告诉我们，部分的功能及其变化会影响整体的功能，关键部分的功能及其变化甚至对整体的功能起决定作用。这就因此我们强调的是既要“五位”还要“一体”：以经济建设为中心是兴国之要，坚持人民民主，推进文化强国建设，增进民生福祉，建设美丽中国。整体和部分是相互影响的，部分影响整体，关键部分对整体功能起决定作用，这就要求我们应重视局部的作用，搞好局部，用局部的发展推动整体的发展。“五位一体”总体布局既保证了从“中国特色社会主义建设”这个整体出发，在整体上实现最优目标，也保证了每个部分各自的建设，使得整体功能得到最大发挥。例如良好的生态环境是人和社会持续发展的根本基础，这既是实现可持续发展的内在要求，也是推进现代化建设的重大原则。

整体和部分是相对的，某一事物既可以作为整体包含着部分，又可以作为部分从属于更高层次的整体。就好比一台电脑，里面有主板，它就是机箱这个整体中的一个部分，而主板的构成中还有 CPU 插座、内存插槽、板卡扩展槽、主板芯片组、BIOS 系统、时钟发生器、I/O 接口、IDE 接口和软驱接口、电源模块等，那么视主板是一个整体的话，上述列举的这些构成就是部分。

理解并把握整体和部分的辩证关系对我们认识世界和改造世界的实践活动具有重要意义。

一方面，在认识事物的过程中，人们总是先对整体有大致的认识，继而认识事物的部分。我们不仅要把握对象的组成要素，还必须把握各要素间的结构和结合方式，比如石墨和金刚石。

石墨一般是深灰色的，它的表面会散发着像金属一样的光泽。金刚石则颜色更多，有无色的，有半透明的，有全透明的，也有黑色的，但它们都是由碳元素组成的。这是由于碳原子不同的排列方式，所以形成了不同的物质。因此，在认识过物质的整体（石墨、金刚石）之后，还需要具体的探究其碳原子组成、排布方式对于物质整体的影响，这需要我们综合地、具体地认识整体，从而使对整体、部分的认识得到提升。

科学的认识方法要求人们既要研究部分，又要考察整体，并把二者有机地结合起来，关注整体和部分间的相互作用关系，充分提高对事物的认识。在改造世界和生产实践中，要充分考虑整体和部分的辩证关系。一方面，我们要树立全局观念，立足整体，统筹全局，选择最佳方案，实现整体的最优目标，从而达到整体功能大于部分功能之和的理想效果。

石墨与金刚石

比如在传热学非稳态导热部分，如果将一铜球和一块牛肉同时放入110 ℃的烤箱中，20分钟后取出。铜球各处的温度均为110 ℃，而牛肉内部的温度各不相等，仅有外表达到了110 ℃。这是由于对于牛肉来说，其导热能力比较差，因此不同位置的温度各不相同；而对于铜球来说，其导热能力较强，内部温度可以很快达到均匀。因此，对于铜球来说，可以认为其温度分布与空间位置无关，仅随时间发生变化，我们将该现象称之为集总系统，将该方法称之为集中参数法。考虑整体与部分间的关系，当各部分的效率都很高时，可以不考虑内部的影响，类似于集总系统，比较简单。当内部个体效率不高时，解决问题需要考虑内部的传导所需的时间，以及个体差异造成的内部差别。所以在烤牛肉的时候，我们通常的做法是要么将牛肉切片，要么从侧面剖开，使部分与整体在整个加热过程中一致。

另一方面，还要重视部分的作用。搞好局部，用局部的发展推动整体的发展。比如反应堆堆内构件是反应堆结构的重要组成部分，主要由吊篮筒体、堆芯下支承板、堆芯二次支承、涡流抑制板，堆芯围筒、径向支承健、中子衬垫相关附属部件、上部支承法兰、裙筒支承板、导向筒、支承柱、堆芯上板组织、辐照监督管及堆内测量装置等组成。各构件间密切配合并相互影响，例如堆内构件控制棒导向筒的数量受燃料装载方案影响，堆内构建设计与配合会影响冷却剂的分布及旁流漏流，流致振动会影响材料的强度、刚度等，以上内容共同影响核电站的安全运行和经济效益。要提高反应堆整体的安全性与经济性，所有构件的设计与加工均应达到良好配合。一旦某个部件出现问题，就会影响反应堆整体的安全性与经济性。

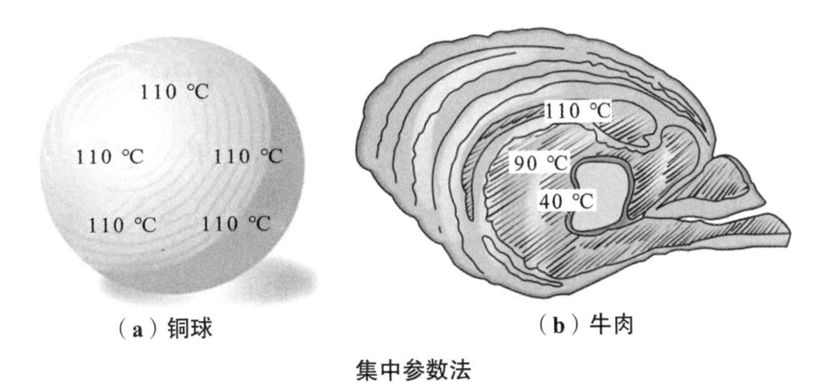

（a）铜球　（b）牛肉

集中参数法

整体和部分是相互影响、相互联系的，不仅整体变化会影响部分，部分变化也会使整体发生变化，部分的恶化将会给整体的健康发展带来不利影响。习近平总书记提出的“人与自然是生命共同体”，强调的就是人是自然界存在的一部分，是“有生命的自然存在物”。人与自然在本质上是一个密不可分的整体。2011 年，9 级大地震袭击日本，属于日本东京电力公司的福岛第一核电站丧失冷却功能，而因为东京电力公司在事件处理过程中缺乏经验、管理不善，导致危机持续扩大，无论是对生态环境还是对人的生命健康都产生了持续的恶劣影响。更令人难以置信的是，日本宣称要倾倒核污染水，这对整体生态系统势必产生非常严重的损害。随着科学技术的发展，核工业的发展已经融入军事、经济、社会、生态环境的各个部分，渗透到国家安全的方方面面，核安全是国家总体安全的重要组成部分。如果核安全得不到保障，那么国家的整体安全也就无从谈起。我国在 50 多年的核能发展历程中始终保持了良好的核安全记录，在世界范围的充分展现出一个大国在核安全方面应有的责任。为实现持久核安全，中国将一如既往地加强自身核安全能力，在构建国际核安全体系、支持核安全国际合作、维护地区和世界和平稳定等方面做出了不懈努力。

对整体与部分辩证关系的理解是综合与分析相统一思维方法。人们对事物的认识是在从部分到整体，又从整体到部分的循环往复中，以及在综合与分析的相互转化中发展的。在实践中，要注意调整局部之间的关系，更要注意对全局有决定意义的那些局部的研究和把握。“一着不慎，满盘皆输”就是说局部对全局性有决定意义的写照，这一观点对人们的工作、生活都具有普遍意义。

案例展示

一、聚天下英才　建科技强国

整体需要部分，更需要关键部分，翅膀对于飞鸟来讲就是关键部分，人才之于国家的发展就相当于翅膀之于鸟，是不能被轻易替代的。国家的发展进步离不开具备一定专业知识和技能的优秀人才。我国之所以能在短短的四年时间内就实现原子弹从无到有的突破，成为世界上少数拥有核武器的国家之一，主要原因就在于我国重视人才，并且能够以其先进的制度、包容的文化吸引人才、让人才发挥作用。

20 世纪中叶，新中国刚刚建立，百废待兴、百业待举，迫切需要一大批科学家参与国家建设。众多在新中国成长起来的杰出科学家，他们掌握着国家发展需要的技术和知识，是新中国发展和建设中至关重要的一环。在苏联专家撤走后，中国陷入缺少专家的困境，从事理论物理、粒子物理理论方面研究的周光召立即响应国家号召从苏联赶赴国内，积极参与核弹的制造，为国家建设的整体发展付出了巨大的心血。

1961 年，时年 32 岁的周光召刚从苏联回国，便立即被调到了二机部，我国在第一颗原子弹的研制中既无权威资料又无实践经验，困难可想而知。即便是苏联专家遗留下来的记录也都需要重新复核，周光召用“最大功”原理反证了苏联数据有误。1962 年底，周光召协助邓稼先完成并提交了我国第一颗原子弹的理论设计方案。1964 年 10 月 15 日，原子弹试爆前夜，一份急电突然从基地罗布泊发到北京，电文称发现一种材料中的杂质超过了原来的设计要求。于是,周光召所在的理论小组连夜组织运算,彻夜不眠，直至第二天上午，他将一份计算报告呈送到周恩来总理面前：“经计算，我国第一颗原子弹爆炸试验的失败率小于万分之一。”当日下午3时，我国的第一颗原子弹爆炸成功。

他参与了第一颗原子弹爆炸试验、促进了核科学基础理论的发展、领导了中国科学院科研机制改革……为国家的科技事业、国防事业做出卓著贡献，是中国科技界的一面旗帜。不仅如此，周光召还担负着教书育人的使命，作为教育工作者，为国家培养了诸多优秀人才。

2020年习近平总书记在科学家座谈会上指出，科学无国界，科学家有祖国，我国科技事业取得的历史性成就，是一代又一代矢志报国的科学家前赴后继、接续奋斗的结果。整体的发展离不开部分的发展，科学家是科技创新的主体，是促进科技强国建设的重要部分，无论是在新中国成立初期，还是在社会主义现代化建设新时期，都是国家发展不可或缺的人才。历经了当时国家积弱积贫、外敌入侵、民不聊生的痛苦，我国的科学家们深深地明白，一个国家独立富强是多么的可贵，因此，他们成为中华民族建设科技强国的骨干和脊梁，秉持国家利益和人民利益至上的信念，主动肩负起历史重任，把自己的科学追求融入建设社会主义现代化国家的伟大事业，鞠躬尽瘁、矢志报国，以实际行动为“科学无国界、科学家有祖国”做出最生动的注脚。

部分是属于整体的，只有在整体中部分的作用才能得到最大限度地发挥，如果脱离了整体，部分也就失去了方向。正如国家的发展离不开科技人才，科技人才的发展也离不开国家，整体的发展为部分的发展提供了更加宽广的平台。今天，我国在经济、政治、文化等领域的持续发展，为科学家们创造了良好的研究环境，为每一位科研工作者自由且全面的发展提供了有利条件。党的十八大以来，党和政府始终坚持改革创新，不断完善管理机制，大胆破除不符合科技创新规律的制度，持续优化科研环境和学术风气，有效激发了全社会的创新创造活力。在这样的环境下，我国的核事业不断发展：形成以“华龙一号”为代表的自主三代核电技术；以高温气冷堆示范工程为标志的中国第四代核电技术；我国核能发电装机已列全球第三位，形成了完整的全产业链体系；核技术应用产业规模不断扩大……

多年来,我国核科学技术工作者服务国家建设、勇攀科技高峰,创造了继“两弹一星”后我国核事业发展的第二个春天。

二、我国原子能发展的起点

整体是由一个个部分有序结合在一起形成的,而关键部分往往对整体起着至关重要的作用,甚至决定着整体的生死存亡。

一个国家要想独立自主,就必须要有强大的国防力量,我国近代遭受的诸多屈辱,已经一次次证明了这点。新中国伊始,国家安全的保障就是最关键的“部分”,甚至比其他部分都要重要。当时国际环境错综复杂,社会主义和资本主义两大阵营的对立也使国际形势更加紧张,我国必须尽快发展核武器以应对可能的战争风险。也就是说,发展核武器不仅是我国核工业发展历史的重要阶段和关键部分,而且是我国国家安全的重要部分。因此,1955 年 1 月 15 日,毛泽东主持召开中共中央书记处扩大会议,做出了要发展原子能事业的重大战略决策,拉开了我国原子能发展的序幕。从四川、甘肃到青海,专家组辗转勘查选址,最终选定了金银滩草原,中国原子城从这里起航。

1958 年 8 月,我国核武器研制工程正式启动,各路建设大军和科研工作者从祖国四面八方汇集到金银滩,我们深知新中国之初,我们的生产力水平十分落后,中国原子城的物质条件并不充裕,科研工作者们住“地窝子”,吃青稞面窝窝头,喝融化的雪水,数万名建设者在这片树都种不活的地方扎了根,开始了“干惊天动地事,做隐姓埋名人”的伟大奉献,以“缺氧不缺精神,缺氧不缺干劲”的坚强毅力,自力更生,艰苦创业,硬是在这严苛的环境中安了家,建设了中国第一个核武器研制基地。困难依然接踵而至,苏联专家撤离,拒绝提供原子弹样品和生产原子弹的技术资料,“再穷,也要有根打狗棍。”这一时期,社会主义制度初步建立,正是靠着每一位“隐姓埋名人”这一关键部分,才组成了“惊天动地事”这一伟大整体。终于,1964 年 10 月 16 日下午 3 时,中国第一颗原子弹在罗布泊上空炸响,震惊了世界。

如果没有第一颗原子弹的成功试爆，国家安全就得不到保证，就没有独立自主的新中国外交，中国人也就谈不上自信、自尊、自豪。所以，中国原子城不但标志着我国原子能发展的起点，也是我国国防建设的重要组成部分。正像邓小平同志所指出的那样："如果（20 世纪）60 年代以来中国没有原子弹、氢弹，没有发射卫星，中国就不能叫有重要影响的大国，就没有现在这样的国际地位。"

习近平总书记指出，几代核工业人艰苦创业、开拓创新，推动我国核工业从无到有、从小到大，取得了世人瞩目的成就，为国家安全和经济建设作出了突出贡献。这也展示了一个从无到有，从部分到整体的过程。如今在金银滩原二二一总厂办公楼的东南角巍然伫立着一座高 16 米的纪念碑，中国第一个核武器研制基地，碑顶上雕刻着和平鸽。这里时刻告诉着人们，曾有一批为着核工业事业奋斗一生的人，并不是为了引起战争，而是为了保卫和平。

三、新中国是我的祖国　我没有理由不爱她

1955 年 11 月，一位 32 岁的年轻人，带着家人乘坐着威尔逊号回到心心念念的祖国，有人问他，美国条件这么好，为何非要回去呢？他说："新中国是我的祖国，我没有理由不爱她。"这位年轻人，就是陈能宽。陈能宽学成归国，1960 年，致力于金属物理学的陈能宽被调入北京第九研究所（现中国工程物理研究院，以下简称第九研究所）。由于科研的需要，他毅然选择由金属物理学专业改行到核武器爆轰专业，参加我国核武器研究。陈能宽在学习和实践中，掌握了相当的知识和经验，但就连他本人也曾讲："我连炸药是什么东西都没看到过，甚至连雷管都没碰过。"团队里有从矿山上调来的人，也有使用过普通常规武器和手榴弹的人，陈能宽说"他们比我经验多一点，他们是我的老师。"在第九研究所，陈能宽在朱光亚、王淦昌等人领导下，主要负责主持设计爆轰波聚焦元件、测定特殊材料的状态方程，进行原子弹爆轰物理试验等工作。尽管每次核试验都会面临许多技术难题，但这些难题都被陈能宽和他的研究团队在实践中一一克服。1962 年 9 月，

“内爆法”关键技术环节获得验证，解决了一系列有实际应用价值的理论和实验问题。就这样，陈能宽和他的团队在最短的时间内，制造出了第一颗原子弹所需的起爆元件。可见，部分是离不开整体的，如果离开整体，部分或许能够独立存在，但部分的力量终究是有限的；而如果部分与部分有机地结合在一起，组成一个整体，那么这个整体很可能产生大于部分叠加之和的效果，进而迸发出无穷的力量。如果没有研究所里其他研究员发挥出“部分”的力量，陈能宽单凭自己一个人的力量是不足矣完成制作原子弹起爆元件的有关工作的。

人心齐，泰山移，部分离不开整体，这不但适用于一个团队，也适用于一个家庭、一个企业、一个组织、一个国家……每件事情无论大小都需要大家充分发扬团结合作精神，齐心协力，发挥出自己的特长，把自己的那份工作做好、做大、做强。

从我国第一颗原子弹的成功爆炸到秦山核电站的成功建立再到第一艘自主研制的核潜艇的成功下水……每一个重大科学成就背后，都离不开科学家们的责任与担当，离不开他们甘为人梯、奖掖后进的育人精神。整体不能缺少部分，整体中的每一部分所发挥的作用都是独一无二的，只有充分发挥部分的作用，整体才能稳定、协调。在我国核工业发展史上，有无数科学家前仆后继、勇攀高峰，他们言传身教、诲人不倦，不仅创造了一大批先进科学成果，而且培养出了一代又一代的年轻学者，为科技进步组建了专业队伍，成为当代科学家的典型模范。

整体影响着部分，部分在整体之中协调行动将会大大增强整体的效能。在新型肺炎疫情全球肆虐之时，党中央以坚定果敢的勇气和决心，团结带领广大人民群众，风雨同舟、众志成城，构筑起疫情防控的坚固防线。抗击新冠肺炎疫情斗争取得重大战略成果。这些奋斗目标的实现，都离不开中华儿女同心同向的一致行动力。习近平总书记曾深刻指出，“中国人民从亲身经历中深刻认识到，团结就是力量，团结才能前进，一个四分五裂的国家不可能发展进步。我相信，只要 13 亿多中国人民始终发扬这种伟大团结精神，我们就一定能够形成勇往直前、无坚不摧的强大力量！”如果整体形成的力量能够大于各部分的和，就需要一个强有效的力量将所有部分汇聚起来。这里我们看本章最后一个例子，鸦片战争后，中国在腐朽的清政府统治下，遭到帝国主义列强乘虚而入。在内忧外患的艰难时局中，懦弱无能的清政府不断妥协退让、割地赔款，使中国一步步沦为半殖民地半封建国家，使人民饱受欺凌和奴役。内无民主制度，外无民族独立，中国社会犹如一盘散沙，中华民族到了最危险的时候。没有整体的存在，部分的存在也就危在旦夕，那么谁能将这大中国的各个部分凝聚起来？就在这样的时刻，中国共产党应运而生，团结一切可以团结的力量，无论是农民、工人还是知识分子，无论是党内人士还是党外人士，中国共产党都把他们团结在自己的周围，与他们同仇敌忾，汇聚成任何血雨腥风都阻挡不了的强大力量，最终赢得了革命的胜利，今天的 14 亿人民也沿着前辈们的道路自信满满地行进在中华民族伟大复兴征程上。

第八章　跬步千里——质变与量变的关系

“众口所毁，虽金石犹可销，多人毁谤，纵骨肉亦遭毁灭”。这段话就是我们所熟知的：众口铄金，积毁销骨。如果从唯物辩证法的视角出发，那么这句话我们可以从量的变化引发了质的改变这个角度理解。

什么是质变？首先要了解什么是“质”。“质”是一种事物成为它自身并且区别于其他事物的固有的规定性，事物的质是由事物的内部矛盾决定的，特定的质就是特定的事物存在本身，质与事物的存在是直接同一的。也就是说，事物之所以存在，之所以是它自身，并与他物相区别，就在于它具有自身质的规定性。以核辐射对人体健康危害的确定效应为例，戈即戈瑞，是用于衡量由电离辐射导致的“能量吸收剂量”的物理单位，一般来说，低于 100 ~ 500 毫戈的辐射吸收剂量不会使人体出现临床症状或组织反应，但当超过这一照射剂量范围，人体便会患有不同程度的急性放射病。质变的含义是事物性质的根本变化，100 ~ 500 毫戈这个范围体现了事物发展渐进过程和连续性的中断，而超过 500 毫戈之后，是事物由一种质态向另一种质态的飞跃。

质变是事物发生根本性质的变化，是一种质态向另一种质态的飞跃，是渐进过程的中断。原子弹爆炸是质变结果，是一个原子裂变释放中子，进而再产生其他原子核裂变的连续反应过程，是一个引发链式反应。还有，对于不同类型的空间反应堆，他们存在着一定的差异，比如星表裂变反应堆、普罗米修斯太空探索计划用的气冷反应堆，我们需要通过对其设计方案进行多角度的分析，深切认识到他们在应用背景、反应堆堆型、冷却剂形式、功率大小、材料选型、燃料类型及形式、系统方案、能量转换方式等方面均存在一定区别，认识到在开展具体空间反应堆设计过程中，应当结合具体需求运用所学习的流体力学、传热学、反应堆物理等专业知识进行严谨细致的思考和论证，这是渐进式的量变。在认知空间核动力系统的过程中，虽然种类繁多，但归根结底是对核能的产生方式与利用方式的阐释，这是其相同点，也是认识的过程中的一个质变规律的把握。

什么是量变？首先要理解“量”与“质”相对应，它是事物存在和发展的规模、程度、速度，以及构成事物的成分在空间上的排列组合等且可以用数量来表示其规定性。例如，物体的大小、质地的疏密、运动的快慢、温度的高低，以及分子中原子数量的多少和排列组合的不同等，都是事物量的规定性。

量变的含义是事物数量的增减和组成要素排列次序的变动，保持了事物质的相对稳定性，体现了事物发展渐进过程的连续性。核辐射的累积效应体现在科学研究中，比如照射剂量与发生急性放射病类型为如下关系：1 ~ 2戈瑞剂量照射，可引起轻度骨髓型急性放射病；2 ~ 4戈瑞和4 ~ 6戈瑞照射分别引起中度和重度骨髓型急性放射病；6 ~ 10戈瑞照射引起极重度骨髓型放射病；10戈瑞以上照射引起胃肠型急性放射病，同时出现严重的肺组织损伤；50戈瑞以上照射引起脑型急性放射病，同时出现心血管系统急性损伤，病人几天之内就会死于休克。可见，量是事物存在和发展的规模、程度、速度等可以用数量表示的规定性，毛泽东指出：“胸中有‘数’，就是说，对情况和问题一定要注意到它们的数量方面，要有基本的数量的分析。任何质量都表现为一定的数量，没有数量也就没有质量。”

质和事物的存在是直接同一的，量与事物的存在并不直接同一，同一事物在一定范围内数量的增减、功能的变化、结构的变动并不影响某物之为某物。例如一桶水与一瓢饮，并不改变水的本质。事物的量总是存在着一定的变化幅度的，例如人体的安全电压是一个范围，人体安全电压为不高于36 V，持续接触安全电压为24 V，那么0 ~ 36 V就是一个量变的安全范围，超过了这个界限就会威胁到人体安全。这里的36 V和24 V称为界限，是保持事物质的稳定性的数量界限，保持质和量的统一，这个界限称之为“度”。

什么是“度”？辞海中的解释为：“事物保持自身的质的稳定性的数量界限，或某种质所能容纳的量的活动范围”，即事物的限度，范围和幅度，它的极限叫作关节点或临界点，超出了关节点，事物就形成了新的质量统一，此物就转化为他物。

在认识和处理问题时要掌握适度原则，我们对这一点的理解：一是对“度”的把握，二是对“度”的突破，防止“过”或“不及”。举个“水桶效应”的例子，盛水的木桶是由许多块木板箍成的，盛水量也是由这些木板共同决定的。若其中一块木板很短，则盛水量就会被短板所限制。这块短板就成了木桶盛水量的限制因素或称短板效应。那如何突破短板效应呢？只能是换掉短板或加长短板。还有一个关于“过度”的小故事，有一个人到千年古刹金山寺去敲钟祈福，管钟的老和尚对他说敲钟只能敲三下：第一下是福喜临门；第二下是高官厚禄；第三下是延年益寿。那人敲完第三下后心里有气，趁老和尚不注意，故意又敲了一下，老和尚大惊失色地对他说：“这下完了，前面全白敲了”，那人问老和尚为什么？老和尚说：“钟不能敲第四下，敲了第四下就四大皆空了。”

那么量变和质变之间又存在哪些辩证关系呢？

在我国，我国古代哲学家曾经自发地认识到量变会引起质变，如九层之台，起于垒土，千里之堤，溃于蚁穴，唯物辩证法的观点指出，量变和质变是存在于一切事物变化过程中的两种基本形式或状态，在总的量变过程中有部分质变，在质变过程中有量的扩张，事物的变化表现为量变和质变两种状态，量变和质变交替循环，形成事物质量互变的规律。

量变是事物数量的增减或场所的变更，是一种渐进的、不显著的变化。部分质变是指在总的量变过程中，事物的根本性质没有改变，但事物的非根本性质或局部性质发生变化，表现了阶段性部分质变和局部性部分质变两种情形。

所谓阶段性部分质变是指，在总的量变过程中，事物的本质属性没有改变，但非本质属性发生了重大变化，使事物呈现明显的阶段性。例如封建社会的生产关系在其向资本主义生产关系飞跃以前的总的量变过程中，由劳役地租到实物地租，再到货币地租的转化，都是同一性质的生产关系所表现出来的阶段性部分质变。

所谓局部性部分质变是指，在总的量变过程中，事物全局的根本性质没有改变，只是其中的某些局部在性质上发生了变化。例如我国新民主主义革命时期，旧中国全局的根本性质没有改变，但在某个地区推翻了旧政权，建立了新政权，当地的人民变成了主人，政权性质和社会性质都变了，这就是总的量变过程中的局部性部分质变。量变质变规律体现了事物发展的渐进性和飞跃性的统一。

社会发展中的量变是在社会基本的质不变的情况下的连续性变化，它使社会在稳定状态中建设和完善自身。社会发展的部分质变主要是社会体制的改革与调整，它是解决社会基本矛盾的重要途径，调整与改革是新建立的社会逐步走向完善的必由之路。社会发展中的质变即社会革命是解决社会基本矛盾和阶级矛盾的决定性环节。社会发展就是在这三种形式的循环交替中实现的。

量变和质变的辩证关系说明，事物的发展总是先从量变开始。量变达到临界点超出了度，就导致质变，这是由量变到质变的过程；质变又引起新的量变，这是由质变到量变的过程。事物的发展就是这样由量变到质变，又由质变到新的量变的无限循环往复，由低级到高级、由简单到复杂的演进过程。

案例展示

一、核能报国　华龙崛起

“华龙一号”的成功离不开它的总设计师邢继，“一展鸿鹄凌云志，一头黑发变斑白”，让我们重新走过这位新时代奋斗者的成长历程，看看他是如何在核科学领域书写一篇又一篇奉献华章。

“华龙一号”

从小就对武器装备深感兴趣的他在高考时选择了哈尔滨船舶工程学院（现哈尔滨工程大学）核动力装置专业，毕业后进入核二院（现中国核电工程有限公司）工作。1990 年的一天，这位年轻人来到大亚湾核电站建设工程，眼前的一切令他颇受震撼，却也五味杂陈：在工程上应用的装备设备，甚至钢筋混凝土，都是国外进口，恰在此时，一颗自主创新的种子便由此被种下了。

2013 年，在“走出去”的战略需要下，“华龙一号”开始研发，为使中国第三代核电技术更加成熟、安全，中国广核集团有限公司决定联合 ACPR1000 和 ACPR1000+，并将邢继团队作为“突击军”。华龙团队研究人员从理论研究开始，制定初步方案，再进行原理性实验，验证非能动循环理论的可能性。为了让系统具有足够的换热能力，团队对十多种不同换热器进行研究，选择最适合的，设计出来再进行 1∶1 试验，检测换热器性能是否满足要求。回忆起当年的研发，邢继说：“以安全壳为例，我们的研发团队从理论开始研究，每一次试验都要经过好几天、上百个小时，不能停、连轴转。”从 2015 年 5 月开工到 2021 年 1 月商运，再到 2021 年 5 月海外首堆工程正式商运，几千个日夜，从一纸蓝图到“中国名片”，在漫长的研发过程中，华龙团队开展了 54 项科研攻关项目，研制了上百套新设备。

第一罐混凝土、第一次发电机试验、反应堆压力容器第一次入堆，“华龙一号”在计算分析软件、反应堆堆芯设计、燃料技术、能动和非能动安全技术等方面实现了重大突破，这之中的每个第一次都表明“华龙一号”的成功是厚积薄发而非一蹴而就的，而这每一步既是对“华龙一号”核电站的技术支撑，也是所涉及的领域的质的飞跃，一步又一步，一关又一关，研发团队凭借几年的时间硬是啃下了这块“硬骨头”，在每一个量的基础上实现新的飞跃和发展，在这一过程中体现了核能技术发展的渐进性和飞跃性的统一。“华龙一号”研发完成后，国内权威专利机构对其进行了知识产权体系评价，专家评价的结论是“华龙一号”成功地构建了完整的自主知识产权体系，涵盖了研发、设计、制造、建筑安全、调试、运行等全领域，而这些关键技术形成的核心竞争力，使我国在核电未来竞争和发展中掌握了主动权。而对此，邢继说，“作为一名核电工作者，就是要不断通过技术创新提升核电的安全性、可靠性和经济性，为实现‘双碳’目标做出更大贡献。”“华龙一号”完整自主知识产权的目标实现了，当然我国核电科学道路自主研发的创新胜利也实现了，谁制定标准谁就具有话语权，“华龙一号”的商业首投既代表着我国成为具有自主知识产权三代核电技术的国家，也标志着我国跻身世界核电发展的第一梯队，但这绝不是结束，而是预示着下一阶段的发展开始了。

核能作为新兴能源，其可控性一直受到人们的质疑，而核工业作为保守决策领域，在多重方面的约束下，如何做到风险可控与创新并存是亟待解决的大事件。在这一情况下，自主研发的“华龙一号”给人们吃下了一颗定心丸：如《中华人民共和国和阿根廷共和国政府关于在阿根廷合作建设压水堆核电站的协议》这类我国与国外签署的自主研发三代核电产品的出口协议进一步表明了我国核电领域实现了质的飞跃。“中国核能”为我国品牌打下根基，为我国在“一带一路”倡议中铸就核电新名片开辟新的道路。

从1990年到2022年，从大亚湾核电站、岭澳一期，到岭澳二期，再到“华龙一号”，从技术上被“卡脖子”到建设我国自主的先进核电，数十年磨一剑，每次技术攻坚讲求的都是不放弃，在我国百万千瓦级核电站自主设计的过程中，正是邢继身上的一团微火，在团队自主创新过程中形成了燎原之势，并推动了千千万万个难题被解决。

从时间的维度我们可以看到，“华龙一号”的自主研发乃至我国的核电创新，从未停止过前行的步伐。自主研发先进核电技术的脚步从未停歇，正所谓“不积跬步，无以至千里”，这位优秀的工程师和他的团队砥砺奋斗、矢志创新、潜心“智”造，带着龙腾之梦见证着我国核事业的艰难发展，积极推动我国核能实现了从国外引进到国内外联合研发再到自主研发的“三步走”，这也证明了“以量变带动质变”的规律在我国核电发展道路中起到的指导作用。

二、潜心西北为人民的原三刀

大家可能会疑惑，原公浦为什么会有原三刀这一“别称”，而他究竟对我国原子弹事业乃至核事业做出了怎样的贡献？让我们带着这两个问题走进大国工匠原公浦。

铀球，被称为原子弹的心脏，而切割铀球就关键在最后三刀。原公浦是我国第一颗原子弹“心脏”的操刀人，1964 年 10 月 16 日，罗布泊的一声巨响震惊了世界，由他切割的铀球作为核心部件的原子弹成功爆炸，自此“原三刀”为人所熟知。“两弹一星”元勋之一的钱三强更是将原公浦赞为“螺丝钉”，一颗非常重要的“螺丝钉”。

新中国成立后，他前往上海的一个工具厂，白天学习车工技能，晚上学习车工理论，正是这样兢兢业业地工作、勤勤恳恳地学习，让工具厂的老师傅看到了他的坚持和努力，也常把他叫来旁边观摩学习。从目不识丁到独当一面，仅仅三四年的时间，原公浦就成了五级技工，正是不停积累的技术和坚持不懈的恒心使他的事业在渐进地发展。1959 年，他迎来了生命中的一个转折点。那一年，他刚刚完婚，是上海汽车底盘厂的技术骨干兼团总支书记，北京派人来上海选拔技术好的车工，原公浦说出了那句:“我愿意到大西北去！”自此，他便开始了艰苦卓绝的戈壁滩生活，而他每日都重复一项枯燥乏味的工作，那就是切割钢球，五年的时间，他日复一日地切割打磨钢球，他从未抱怨，而是任劳任怨，尽可能确保每一刀都完全符合规格标准。中国核工业总公司第四零四厂（以下简称 404 厂）的总工程师姜圣阶到他的车间视察，表扬了他积极严谨的工作态度，同时也有对他水平更加高超的期待。一人高的大箱子从一根铁丝到数万根铁丝被慢慢装满，这个过程是对技艺的打磨更是对心灵的修行。

1964 年，原公浦才知道了自己的真实工作——切割原子弹爆炸的核心部件铀 -235 半球。此时国家工业水平很落后，原子弹爆炸又对铀球的光洁度和尺寸要求极高，只能由技艺精湛的工人手动切割。为了确定主刀手，404 厂举办了一系列的技术比拼，上海汽车底盘厂的技术工人原公浦排名第一。经过这次考核，原公浦的技艺获得了肯定。“随着铀丝的一点点脱落，一个光滑的白球出现，手起刀落的关键三刀后，铀部件切割完毕，经过精密的测试，完全符合要求。”

这颗铀球能够顺利地应用于原子弹，并且帮助其爆炸，是数以万次训练的必然成果，就像是千千万万的爱国者投入国家核事业建设必然引起中国核事业的大跨步，这也为核电在内的新的核事业的发展提供经验积累和进行奠基。

从车水马龙的上海到荒无人烟的戈壁，原公浦终其一生追求的都是技艺报国，他千百次的做工练习，换回的是铀球的完美切割和我国核事业的前进。

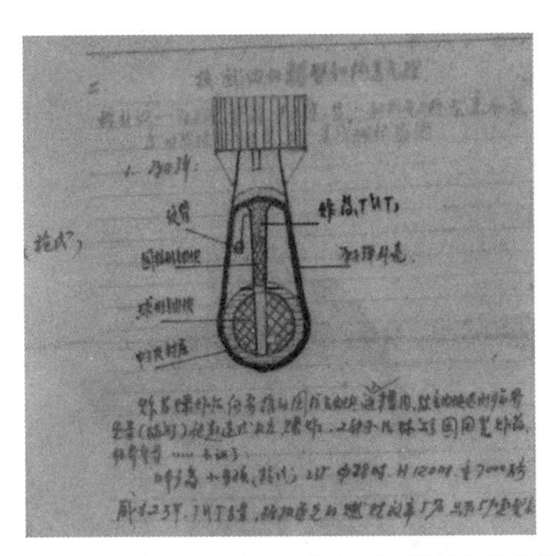

原公浦的珍贵笔记，图中显示的是原子弹核心部件构造

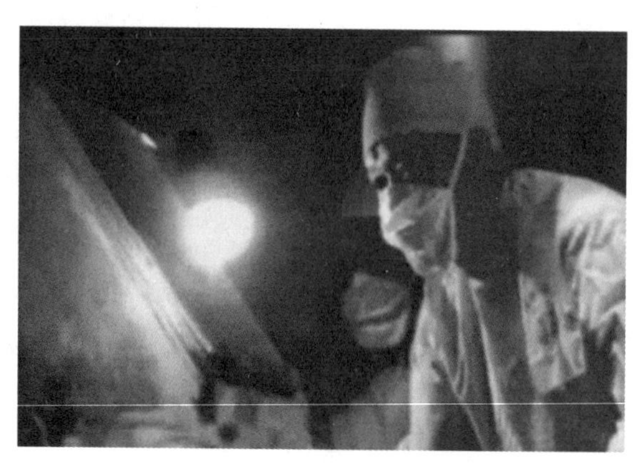

原公浦操刀时的照片

从钢球到铀球，没有对钢球日复一日的打磨，怎会有铀球切割的成功？没有原公浦这一颗“螺丝钉”，怎么会有千千万万颗螺丝钉造就的伟大原子弹工程？这声巨响既是对原公浦技术的认可，也是其自己事业台阶的一次重要跨越，更是我国国防建设和科学技术方面取得的一项重大突破，这标志着我国国防现代化建设进入了一个新的阶段。

从铀部件的加工过程可以看到，为了让铀球完全符合规格要求，对铀部件一分一毫的切割都要十分仔细，对每一刀切下来的铀屑都有严格的标准，切割打磨铀部件的每一刀都是为铀球的达标做准备。无论是五级技工的入选，还是主刀手的选拔，抑或是铀球的切割，都离不开时间的磨砺。三年、五年、十年，这些技术工人与科学家为我国的原子弹事业积攒了无数的力量和决心、做出了无数的准备和牺牲，只为原子弹爆炸这一重要时刻。正如原公浦的学习阶段一样，从初到上海参加的第一份工作，再到参加大西北的科研事业，每一阶段都是新的开始，每一个阶段都为下一个阶段的新变化做准备。原公浦在404厂工作的几十年里从未荒废一分一秒，每一次工程的完成都是一次精进技术的过程都为新工程开辟了崭新的道路。

深入西北的几十年中，从我国第一颗原子弹、第一颗氢弹，到用于平爆、空爆等核弹的核心部件，原公浦每一次参与加工的经历都是我国核事业质的飞跃的证明，每一次也都为我国核事业的飞速发展提供技术支撑的量的积累。

没有精湛的技艺，哪来的精准加工，没有切割质量的保证，哪有原子弹的成功爆炸、核领域的不断创新，从一根钢丝到装满半人高的箱子、从简单机床到高精尖制造，这之中无一不体现了核领域渐进性和飞跃性的统一。而今，从“引进来”到“走出去”，从原子弹爆炸到核潜艇下水，从第一座重水堆到第三代核电品牌“华龙一号”，几十年的发展历程为我国的核事业积累了丰富的经验，没有这些工程量的积累，就不可能有我国核电的腾飞，也更不可能有中国品牌在世界的登场。

三、被人遗忘的女英雄

从被书香门第氛围熏陶的“富家女”成长为戈壁滩上“为天地立心，为生民立命”的研究者，从燕京大学到密歇根大学再到苏联深造，作为中国研发原子弹的核心人物之一，王承书从未忘记她的初心。她在中核兰州铀浓缩厂（以下简称504厂）隐姓埋名、呕心沥血30年，为我国核事业两次转变研究方向；她为攀登科学的高峰，奋斗在一线，带领一众男科学家攻克难关，只为换来国家的富强和民族的振兴。

从小热爱数学和物理的王承书，在燕京大学物理系求学时就名列前茅。凭借个人敏锐的洞察力，她将物理学作为奋斗一生的事业，“现在正是物理学突飞猛进的时代，物理学已经成为衡量一个国家的科学是不是发达的标志。我们中国的物理学非常落后，因此，我们才要学习物理”，正是这种对未来国家发展大事变的把握为她攻读物理学位、进行核研究、献身中国原子弹事业做了准备。

王承书

1959 年，著名物理学家钱三强先生筹建了热核聚变研究室，这一领域当时在国内还是一片空白，钱三强找到王承书，希望她能专攻这一领域进行研究。在去苏联进修期间，王承书用七天七夜的时间翻译了一本美国受控热核聚变的书，回国后接着又翻译了《热核聚变导论》，她为明晰热核聚变的理论基础和方法，她参与建设了我国最初的三个等离子体实验装置。正是依托几十年知识和文化的积累熏陶和这种自身的坚韧精神，短短两年，王承书就成为这一领域的领军人物。

她不断对自己的科研提出更高的要求，不断开展深层次的学习和前瞻性思考，从热核聚变到研制高浓度铀再到后来继续进行的核研究，她的事业从未停止：王承书—乌伦贝克方程、利用数学算法证明了索南多项式正是麦克斯韦气体线性化的玻尔兹曼积分算符的本征函数，等等。一个又一个的难题、一项又一项的挑战被解决，为王承书的科研大厦筑起了一砖一瓦。

从王承书求学的道路便可以看出，其实力的提升是大跨步的。四年的留美生涯，她与乌伦贝克教授合作发表的多篇关于稀薄气体动力学的重要论文，都体现了从燕京大学到密歇根大学的过程中其创新能力的飞跃，王承书—乌伦贝克方程的横空出世也解决了气体动力学领域许多悬而未决的历史性疑团。

王承书日复一日的孜孜求学历程就是量的积累。从小在数学和物理领域不懈追求，为她的前进之路打下了坚实的基础。在赴美求学中，王承书优异的学术水平与求学精神为她能获得破例录取的机会，提供了条件，而她当时师从的国际物理学权威乌伦贝克教授，也为之后她的卓越贡献开辟了道路。

当时国际形势十分严峻，回国发展谈何容易，但王承书将她的学习科研成果打包分发回国，前后共计七年，多达 300 多个包裹，支撑她在异国他乡奋斗学习的信念源泉，正是她为国家奉献的爱国之情，因此她的回国是必然的。一次次的努力和坚持，坚定的信念和决心，也为其回国后的新研究提供了信仰支撑。她回国后在 504 厂隐姓埋名，呕心沥血了 30 年。

王承书为了核科学事业发展做出了两次转行的选择。

第一次是在新中国成立初期，为了我国能够自主制造战略武器，王承书投入到了热核聚变理论的研究中，实现了我国在该技术上零的突破。

第二次转行是研究铀同位素的分离提纯。为了得到 90% 以上纯度的铀 -235，她前往了 504 厂。1964 年 1 月，团队成功制得了第一批高浓度铀合格产品。同年 10 月 16 日，我国第一颗自主研制的原子弹试验成功，这也是王承书研究事业的一大胜利。

同时我们也深知，原子弹爆炸的背后是无数默默付出汗水与牺牲的科学家们。从热核聚变到铀提纯，每一项任务都是原子弹成功试验的基石，“合抱之木，生于毫末；千里之行，始于足下。”科研靠的就是知识和能力的积累，就是一块海绵吸水的过程，正如王承书几十年对于物理学、数学、核科学的深刻钻研，才为核事业一个又一个的进展、核领域一次又一次地飞跃提供坚实的基础。她的卓越贡献是不断学习持续积累的必然结果，也是对于她前瞻性眼光的验证。

“宝剑锋从磨砺出，梅花香自苦寒来”，几十年如一日地积累最终从量变转成了质变，在我国的核弹研究事业上产生了质变。她一次又一次选择科技的前沿研究，一年又一年地扎进祖国的核事业，是这种对于未来科技的敏感度和前沿知识的掌控力，在量变质变交替、渐进性与飞跃性统一的过程中，推动了中国核事业的发展进程。

“苦干惊天动地事，甘做隐姓埋名人”，默默无闻甘于淡泊之下的是默默耕耘和筑梦中国。无论是邢继、原公浦还是王承书，每个人都是星星之火，在站起来、富起来到强起来的进程中形成了燎原之势。数万人的故事，铸就了一个激情澎湃的伟大时代，在其中的每一个人都是英雄。正是因为他们在艰苦岁月中的默默奉献，才共同成就了我国的“两弹一星”，成就了今天中国在核领域无可撼动的地位。回首过往，正是老一辈核电人“以身许国”的奉献，为我国的核工业打下坚实基础；她们不愿“等靠要”的科研态度也为今天青年科研者们立下标杆，进一步为我国核工业不断自主创新开辟更宽广的道路。

第九章　星火燎原——联系和发展的关系

恩格斯说："当我们通过思维来考察自然界或人类历史或我们自己的精神活动的时候，首先呈现在我们眼前的，是一幅由种种联系与相互作用无穷无尽地交织起来的画面，其中没有任何东西是不动的和不变的，而一切都在运动、变化、生成和消逝。"这里说明的正是联系和发展的道理。

联系是客观的。

什么是联系？事物、现象之间以及事物内部各要素之间相互依存、相互作用、相互制约、相互转化的关系，就是联系，联系是多样的，复杂的，既是普遍的又是特殊的，不同事物，事物的不同方面、事物发展过程的不同阶段的联系各有特点。

"鱼离不开水，瓜离不开秧"从字面上理解这一句俗语，也就是说：鱼离不开水，因为这是它的生存条件，瓜不能没有瓜秧，因为瓜秧是瓜的养料输送通道。

而要深入理解这句俗语，我们可以运用联系的视角来理解：水是客观存在的，由于水是鱼的生存环境，鱼与水之间产生了联系。瓜在成长期需要养料，养料的输送通道是瓜秧，瓜与瓜秧就产生了联系。

联系的观点是唯物辩证法的基本特征之一。

如何来理解"在联系之中的影响与制约的作用"？举个例子，麻雀吃粮食,也吃虫子,那么为了使粮食的总量不受影响,仅捕杀麻雀可不可以呢?考察事物、现象之间的相互依赖和相互作用，研究事物多方面的联系，才能科学地说明事物的运动、变化和发展,把握事物的本质和发展规律。因此，捕杀麻雀而得粮食，势必也使虫子泛滥，粮食的总量还是会受到影响。这种现象体现的就是联系是事物本身所固有的，生物是一个相互联系的整体，现实的联系是彼此依存、相互制约。

联系是普遍的。

任何事物与周围事物都存在联系。

那有没有可以不与外界或外物联系的人、事或物呢？万有引力定律已经告诉我们，这种情况是不存在的。

万有引力定律的公式表达式是：

$$F_1 = F_2 = G\frac{m_1 m_2}{r^2}$$

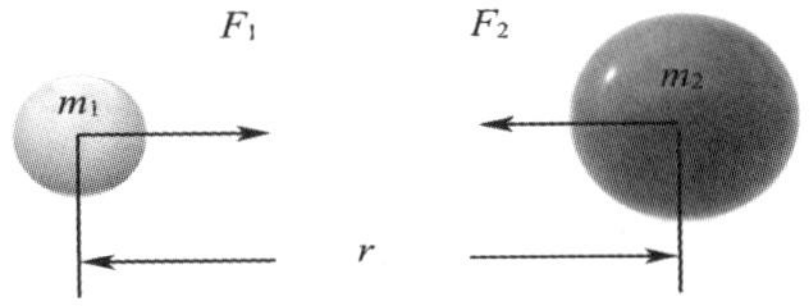

任何两个质点都存在通过其连心线方向上的相互吸引的力，该引力大小与它们质量的乘积成正比，与它们距离的平方成反比。而这个力与两个物体的化学组成和其中介质种类无关。所以，任何事物都同其周围的一切事物产生着联系，任何事物内部的各个部分、各个要素之间也存在联系，世界是一个普遍联系的有机整体。

在各类“联系”的现象中，有些我们可以很直观地观察到，但有的联系确实看似很微弱，但它们却一样推动了事物的发展，就比如“蝴蝶效应”。

因此在分析具体问题时，不仅仅要注意事物与周围其他事物的联系，需要具体分析事物之间的相互影响和相互制约，还要注意事物前后相继的历史联系，分析事物的历史发展过程，要全面地把握事物的联系，既着眼整体、通观全局，又重视局部。

了解事物普遍联系原理的方法论有什么意义呢？马克思主义关于事物普遍联系的原理，要求人们要善于分析事物的具体联系，确立整体性、开放性的观念，从动态中考察事物的普遍联系。例如，事物的相互联系就包含事物的相互作用，那么相互作用必然导致事物的运动、变化和发展。一定形式的运动都意味着一定的变化：最简单的机械运动会引起物体位置的变化，物理运动是物质分子状态的变化，化学运动是物质化学成分及其结构的变化，生物运动是生物机体的变化，社会运动会引起社会有机体的变化等等。这里体现的都是联系的观点。

变化的基本趋势就是发展。恩格斯说，在唯物辩证法面前“不存在任何最终的东西、绝对的东西、神圣的东西；它指出所有一切事物的暂时性；在它面前，除了生成和灭亡的不断过程，无止境地由低级上升到高级的不断过程。”比如市场经济发展如何，股市大盘走势怎样，事情进展是好是坏，这些都是发展。

什么是发展？发展同运动相比，具有更加丰富、深刻的内涵，它表征了事物是递进的、包含新质态生成的、螺旋式上升的运动和变化，体现着事物运动、变化的积极成果，反映了事物新陈代谢的不可抗拒的规律。恩格斯指出：“世界不是既成事物的集合体，而是过程的集合体。”

事物由量变到质变、由低级到高级的前进、上升的过程就是发展。我们周围的一切事物都是在发展之中的，包括我们自身，无论是向所谓好的方面还是不尽如人意的方面，发展是普遍的。

马克思和恩格斯深切地关注人的发展、全人类的前途和命运，把人的全面自由发展、全人类的解放，作为自己毕生研究的主题和为之奋斗的最高目标，作为衡量社会发展的最高价值标准。马克思主义始终强调人的发展是社会发展的核心和最高目标。

那么我们日常中所讲的发展，是不是就是唯物辩证法中的发展的含义呢？唯物辩证法中的发展指的是变化中前进的、上升的、变好的那一面，是包含在发展这个大概念中的一个子概念。这实际上也体现了唯物辩证法关于世界变化的基本态度，也就是越来越好，或者说总体上，前途是光明的、前进的、上升的，简而言之就是，我们接下来再提到的发展的概念，都是唯物辩证法中的发展的概念。

发展的实质是新事物的产生和旧事物的灭亡，发展的道路是曲折的，也是光明的。发展是螺旋式上升、波浪式前进的，事物的发展过程是前进性与曲折性相统一的过程。“变化者，乃天地之自然。”社会是在矛盾运动中不断向前发展的，社会主要矛盾也随着经济社会发展而变化。2017年，习近平总书记在党的十九大报告中强调，中国特色社会主义进入新时代，我国社会主要矛盾已经转化为人民日益增长的美好生活需要和不平衡不充分的发展之间的矛盾。社会主要矛盾发生变化，就是一个运用发展的观点看问题的主要方式。

从形式上看，事物发展的过程是事物在时间上的持续性和空间上的广延性的交替：经过长期努力，我国成为世界上第二大经济体、制造业第一大国，货物贸易第一大国，我国长期所处的短缺经济和供给不足状况已经发生根本性转变，更加突出的问题是发展的不平衡不充分，再讲“落后的社会生产”已经不符合实际，要充分运用发展的眼光看问题。从内容上，事物发展的过程是事物在运动形式、形态、结构、功能和关系上的更新。人民对美好生活的向往更加强烈、需要日益广泛，不仅对物质文化生活提出了更高要求，而且在民主、法治、公平、正义、安全、环境等方面的要求日益增长。如果再只讲“物质文化需要”已不能真实全面反映人民群众的愿望和要求。

那么，了解“事物发展是过程的”意义是什么呢？坚持“事物发展是过程”的思想要求我们用历史的眼光看问题，把一切事物如实地看作变化、发展的过程——既要了解它的过去，观察它的现在，又要预见它的未来，这就是我们现在总在讲的，要用发展的观点看问题。

那么懂得联系和发展的辩证关系又有什么用呢？我们听过“兔子不吃窝边草”这一句俗语，这句话是要说明什么道理呢？并不是因为兔子很爱惜窝边草，也不是因为兔子有环保意识，或者是要保持一种绿色的生活方式，而是因为如果兔子吃了窝边草，就会暴露它的家园位置，它的生存基地便会因此而受到威胁。

结合到人类自身，可以将此案例投射到人类对生态的态度上。人类的行为有时候总在以利益最大化的思维，以最快的、最浅近的、最急迫的一种手段和思维方式获得我们的所求，也就是把“窝边草”都吃光。环境保护部部长周生贤2012年在接受记者采访时说道：“开宝马车，喝污染水，显然不是我们期待的工业化、现代化。”

中国式现代化是人与自然和谐共生的现代化，习近平总书记提出“绿水青山就是金山银山”的理论，是对生态环境保护和经济发展的形象化表达，这两者绝不是对立的，而是辩证统一的。自然界和人类社会相互联系、相互作用，自然界是人类社会形成的前提，是构成人类社会客观现实行的自然基础，因此要正确处理人与自然的关系，实现生态文明。

联系是发展的前提，发展是联系的结果。

正是由于事物之间存在普遍联系，事物间的运动和变化才促成了事物的发展。以一个孩子的成长过程为例，孩子的成长需要家庭教育、学校教育和社会教育的相互配合：家庭教育是基础，侧重对孩子性格品质的塑造；学校教育是主体，侧重知识教育和行为规范；社会教育是补充，促进教育的实践导向和人的社会化。三个方面互相配合、互相补充、互相影响，这就是联系的观点。只有发挥各类教育的特殊作用，从各个领域发挥教育的功能，才能促进孩子的全面发展，这就是发展的观点。

案例展示

一、福岛核电站事件的启示

2011 年 3 月 12 日，受地震影响，日本福岛第一核电站的放射性物质泄漏到外部。福岛 1 号核电站面临紧急情况：先是 2 号反应堆外壳在爆炸中受损，造成含有放射物的冷却水不断流出；紧接着，一直平静的 4 号反应堆起火，大量放射性物质泄漏。

日本政府发布警告说，福岛 1 号核电站可能正在泄漏更多的放射性物质，已经对民众健康构成了严重威胁。因福岛核电站爆炸而泄漏的放射性物质乘北风向日本各地扩散。包括东京在内的日本关东地区都已检测到比通常更高的放射性物质。除此之外，福岛核泄漏对周边地区甚至全球的生态环境的破坏都是不可逆的。

日本福岛核泄漏事件给予了我们很多启示：

从马克思主义的联系观看，我们要树立防微杜渐的态度。福岛第一核电厂1号反应炉运行时间长达40年，设备严重老化。此外，日本很多核电设备不少已经是“超期服役”，使用时间已超过25年（最长年限）。因此，福岛核泄漏发生的主观原因之一在于日本政府抱有的侥幸心态，没有做到核设备的安全使用，没有完善相关的安全配套措施，从而导致核泄漏危险逐渐萌芽。

核安全是和平与发展时代主题下军事领域的具体体现，核武器的威力非同寻常，一旦疏忽大意，可能造成极其严重的后果。就像“蝴蝶效应”一样，如果我们不注意细节，不防微杜渐，一个小的安全问题可能会造成毁灭性的灾害。

日本福岛核泄漏事件的一个重要原因就是，日本相关各方没有以谨慎的态度对待核安全保障流程，最终酿成悲剧。联系是普遍的，万事万物都处在联系之中，我们必须时刻警惕这些危险的发生，将其扼杀在萌芽之中。

除此之外，马克思主义的联系观还告诉我们，各国的核安全是联系在一起的。我们处于命运共同体之中，福岛核泄漏不只对日本产生了巨大的危害，对周边国家乃至全世界都有巨大的危害。本次核泄漏对亚太地区的海水产生了不可逆的核污染，严重损害了海洋环境。海洋是全世界人民的财富，关系到全世界人民的利益和福祉。

世界各国不能孤立在国际社会上，我们处在同一个地球村里，一国的疏忽会造成全球性的灾难，因此，我们必须树立“协同”的观念：一方面，要对世界各国负责，对其他国家的安全负责，对本国的核安全持以百分百的谨慎态度；另一方面，要加强国际合作，完善核安全的国际法规范，共同促进核安全。只有各国联手协作，才能确保国际核安全最终实现。

最后，联系和发展的方法论告诉我们，一切历史的都是现实的，别国发生的核泄漏对我国也起到了警醒作用。我国以福岛核泄漏事件为整改契机，看到了灾难直接的联系性，如若我国不因此加以整改，可能也会造成悲剧。因此，围绕着此次核泄漏事件，我国进行了深刻的核安全排查和政策完善工作，坚决避免悲剧的再次发生。为此我国开展了为期9个月的核安全检查，并对各核电厂提出了多项具体的改进要求：采取设置移动电源、移动泵、增设匹配接口和对核电厂的消氢设施进行必要的改进等等。同时，我国政府宣布“在确保安全的基础上高效发展核电”。因此，在核安全问题上，我们必须借鉴优秀的核安全措施，同时必须在其他国家核泄漏的事件中吸取教训，这样才能更好地促进核安全发展。

二、“小男孩”事件后的广岛最高温

1945年8月6日的凌晨2点45分,约4.5吨的“小男孩”搭乘艾诺拉·盖伊号B-29轰炸机离开了太平洋天宁岛的基地直奔日本而去。“小男孩”的目标地点是横跨广岛市中心河的相声桥，那里是城市的中心地带，人口最为密集的区域。

8点15分，“小男孩”一声巨大的爆炸声令所有的人都惊呆了，紧接着超越太阳几万倍的光亮淹没了整个广岛市，几秒钟后火焰随着冲击波从市中心开始向周围扩散，一朵巨大的蘑菇云冉冉升起，地面上的房屋顷刻笼罩在火海之中。靠近核爆中心的人们还没有看清发生了什么情况，就稀里糊涂地成了“焦炭”，核爆中心地带的人在瞬间被气化变成了碳原子回归了宇宙。

幸存者面目全非，蓬头垢面或被烧伤到看不出模样，有些皮开肉绽的人像僵尸那样，双臂在身前缓慢地移动，更令人惊骇的是，有的人走路时手里捧着自己的眼球，还有的拿着自己的一条断臂。在数日之后几千名幸存者开始出现呕吐、腹泻、七窍流血、脱发等症状，身上出现大面积的紫斑，皮肤开始出现水疱并脱落，且当时因为没有有效的治疗方法，导致大量的幸存者痛苦地死去。

马克思主义的联系观告诉我们，世界是一个联系体，美国向广岛投放的“小男孩”，对日本造成了巨大影响:“小男孩”对日本环境造成了破坏，核辐射会持续数年，会导致此地区的生物，包括动植物受到长期的伤害。并且“小男孩”带来的危害后果也会波及全人类：如果人食用核辐射地区的食物，对人体的危害是巨大的。同时，使用核武器的各种危害之间也是相互联系的，即使是幸存者，他们的身体也受到了核辐射的巨大危害，这些幸存者生育的后代也必然受到非常严重的影响，甚至导致很多先天性的疾病和缺陷，这对整个国家的发展和基因的延续都是毁灭性的伤害。

从马克思主义的联系观看，联系是多样的。解决国际争端的方式有很多，各国可以通过谈判、协商、调解、国际司法等众多和平方式解决，而美国却选择了最差的一种方式：核武器。

选择“以暴制暴”仅仅看到了联系的表面性。在和平与发展的时代主题下，我们必须把握联系的多样性，多途径地解决国际争端，而非一味地“以暴制暴、以眼还眼、以牙还牙”。

除此之外，从更深层的角度看，军事行动和政治、经济、文化也是联系的，同样体现了联系的多样性。美国向广岛投放原子弹并非一个单纯的军事行动，更透露了美帝国主义的霸权行径和野心。其投放“小男孩”的行为，也给世界人民心中留下了巨大的阴影，不利于世界和平与发展。从联系的观点看，美帝国主义的行为不仅是一个军事行动，更是一个“政治行动”，同时破坏了自然环境、危害了人类的身心健康，更不利于世界协同发展。日本的法西斯行为应该被谴责，我们应该本着协同精神去惩罚战败国，而不应像美国一样使用大规模杀伤性武器。

我们处在人类命运共同体之中，无论是解决战争还是其他国际争端，都应以协同的态度和精神，采用和平的方式进行解决！

三、冲锋至生命的最后一刻

林俊德是我国爆炸力学与核试验工程领域著名专家、总装备部某试验训练基地研究员，从 1964 年我国的第一颗原子弹爆炸，到 1996 年我国进行的最后一次地下核试验，参与了我国的全部 45 次核试验，在癌症晚期，他仍然以超强的意志工作到生命的最后一刻。

林俊德

2001年,他当选院士后,主动担当某重大国防科研实验装备的研制任务。在各种方案分歧很大的情况下，他带领攻关小组连续攻克设计方案、工程应用、实验评估等难关，最终取得了关键技术的重大突破。从马克思主义的发展观来看，发展的道路是曲折的，但前途是光明的。发展包括人与自然关系的发展和人自身的发展。

我国核武器发展的道路是曲折的。林俊德见证了我国核武器从无到有与从有到强的全部历程。我国曾在核领域被西方技术封锁和军事威胁，正是因为有了林俊德这样一批老功勋，我们才从泥淖中艰难地站了起来。在这些老前辈们生活的年代，我们对核领域的探索可谓是“一穷二白”。

在经济还没有向好发展的情况下，我们的军事领域也被西方全面封锁。任何事情的成功都不可能一蹴而就，“巧妇难为无米之炊”，在这种艰苦的条件之下，我国依然要发展核武器，提高综合国力，体现了“发展的道路是曲折的”。

道虽艰，然志不穷。我国核武器发展的前途是光明的。我国核领域的发展过程虽然是艰难、曲折和充满坎坷的，但正是因为有了这群愿意为国奉献的先辈和功勋，他们本着协同和团结的爱国主义精神不断实验，我们的国家才能不断强大。在当时艰苦的研发条件下，是什么支撑着林俊德先辈艰苦奋斗，潜心科研呢？正是因为他心中有光，有国家，有民族，正是因为他看到了发展的前途是光明和坦荡的！

国家要发展，民族要富强，必须全面提高综合国力，不能有短板。林俊德正是认识到了发展的道路是光明的，才能在曲折的道路上坚定理想信念，坚持在困难的条件里奉献自己，为国献身。目前我国的科技依然被西方“卡脖子”，我们要坚信，无论过程多么艰辛，曙光依旧在前方！

从更为宏观的视角看，马克思主义的发展观强调，人的发展是社会发展的核心和最高目标。人的发展就在于对社会的责任和贡献。林俊德的人生经历就是不断实现人生价值，不断承担对社会的责任、不断为祖国和社会贡献，最终促进自身和社会发展的过程。

何为人的发展？人的发展首先要求自身要有过硬的本领。林俊德的一切贡献，必然少不了他本身掌握的足够充足的知识，如果他没有相应的知识和技术，也无法完成祖国赋予其的责任和使命。除此之外，人的发展在于对祖国的奉献和对社会的贡献。社会发展的理想阶段就是每个人能抛开私利，能够为整个国家和社会奉献自己的才能、奉献自己的生命。林俊德见证了我国核武器发展的整个过程，他从年轻时即开始为祖国的核事业奉献。在这个过程中，他抛开了物质上的享乐，选择了艰苦但有意义的事物，就是为祖国的核事业发展贡献自己的全部力量。人发展的最理想状态就是为公奉献，社会发展的最理想状态就是每个人都能够为祖国奉献。林俊德以微光吸引微光，以自己的生动实践为我们树立了标杆模范，我们所有人都应以之为标准，为实现社会发展贡献自己的力量。在这个过程中可能有很多挫折，但我们应该相信前途是光明的。

从福岛核泄漏事件到广岛“小男孩”事件，再到林俊德的光辉事迹。我们看到：首先，核安全不是一个国家的核安全，应是全世界的核安全，一荣俱荣、一损俱损；其次，我们要以联系的观点看问题，坚决反对西方大国的核威慑和大规模杀伤性武器的使用，要以协同精神构建人类命运共同体；最后，我们要以发展的眼光看问题，即使发展的道路充满挫折，但其前途和命运是光明和坦荡的。

目前，虽然有很多国家违反国际法和国际习惯进行核废水的排放，对世界环境造成了巨大的破坏。但我们相信，只要全世界各国以协同的精神去应对，加强国际合作，我们最终必然在全世界范围内实现核安全，希冀就在不远处。最后，我们中华民族的每一分子都要承担起责任，焕发心中最深沉的使命感，发挥每个人的力量，让微光吸引微光，让协同的精神编织成巨大的精神网脉，为世界核安全贡献自己的力量！

第十章　亦动亦静——矛盾分析方法

在唯物辩证法的方法论体系中，矛盾分析方法居于核心的地位，是根本的认识方法。了解矛盾分析方法首要先了解什么是矛盾。

汉语中的“矛盾”一词最早见诸先秦时期著作《韩非子》。原文为，“楚人有鬻盾与矛者，誉之曰：吾盾之坚，物莫能陷之。以誉其矛曰：吾矛之利，于物无不陷也。或曰：以子之矛陷子之盾，何如？其人弗能应也。夫不可陷之盾与无不陷之矛不可同世而立。”德国哲学家黑格尔在其唯心主义体系中阐述了矛盾学说；而马克思主义吸收了黑格尔哲学的“合理内核”，把矛盾作为唯物辩证法反映事物对立统一关系的基本范畴。

矛盾是事物固有的本质属性，是客观存在的，不以人的主观意志为转移。无论在自然界、人类社会或人们的思想中，矛盾存在于一切事物的发展过程中，又贯穿于每一过程的始终。辩证法上指客观事物和人类思维内部各个对立面之间的互相依赖而又互相排斥的关系。既然客观世界中矛盾普遍存在又无时不有，要正确认识客观事物的本质及其发展规律，就必须坚持矛盾分析方法。

矛盾分析法缘何如此重要？这是由对立统一规律在辩证法中的地位决定的。对立统一规律揭示了事物普遍联系的根本内容和永恒发展的内在动力，从根本上回答了事物为什么会发展的问题。在管理学中，有一个“鲶鱼效应”，说的是北欧渔民们每次出海归来时，捕获的大部分沙丁鱼都因窒息而死，无法卖上好价钱。为了提升沙丁鱼存活率，渔民们绞尽脑汁，最终想到了一个办法：在装满沙丁鱼的鱼槽里，同时放进几条鲶鱼。当鲶鱼横冲直撞时，原本死气沉沉的沙丁鱼会为了保命而加速游动，从而保持了旺盛的生命力。那么，我们不禁要问，矛盾是在鲶鱼被放到鱼槽里时才发生的吗？如果这样认为的话，那就陷入了形而上学的观点，认为矛盾不是一开始就在过程中出现，须待过程发展到一定的阶段才出现。也是毛泽东在《矛盾论》中所批判的所谓德波林学派的观点。实际上，在鲶鱼被放在鱼槽前，大大小小的矛盾就都存在了，比如水氧含量的争夺，游动空间的挤占，只是有些矛盾是在鲶鱼一被放入鱼槽就被激化了，比如由于不同种族的侵占，沙丁鱼会更加“激动”地窜来窜去。当外部条件变化了，过程条件变化了，原来激化的矛盾可能得到缓和，原来缓和的矛盾可能就被激化了。

矛盾分析法包含广泛而深刻的内容。例如,分析矛盾特殊性的方法，“两点论”与“重点论”相结合的方法，在对立中把握同一与在同一中把握对立的方法，批判与继承相统一的方法等，都是矛盾分析法的具体体现。毛泽东在《矛盾论》中用排比的方式举了许多例子“没有生，死就不见；没有死，生也不见。没有上，无所谓下；没有下，也无所谓上。没有祸，无所谓福；没有福，也无所谓祸。没有顺利，无所谓困难；没有困难，也无所谓顺利。没有地主，就没有佃农；没有佃农，也就没有地主。没有资产阶级，就没有无产阶级；没有无产阶级，也就没有资产阶级。没有帝国主义的民族压迫，就没有殖民地和半殖民地；没有殖民地和半殖民地，也就没有帝国主义的民族压迫。”这就是矛盾的同一性。同一性是指矛盾双方相互依存、相互贯通的性质和趋势。它表现为矛盾着的对立面相互依存、相互贯通、相互转化等。转化包含多种可能性，可以是物质形态上的转化，也可以是角色的转化。

老子说：“天下皆知美之为美，斯恶矣；皆知善之为善，斯不善矣。”指的就是事物的相反相成，物极必反的道理，可以说但凡我们能想到的转化形式，都存在于矛盾斗争中，这种相互转化的最大价值，就是矛盾学说的最大价值所在。正所谓“祸兮福之所倚，福兮祸之所伏”，事物是矛盾运动，推动事物的发展也是这么一个相互渗透、相互贯通的道理。

矛盾的对立属性又称为斗争性。斗争性是矛盾着的对立面之间相互排斥、相互分离的性质和趋势。矛盾斗争性具有丰富的内容和多样的形式。互联网作为一种以物质为载体的思想和文化存在，正在日益深刻地影响着人们的思想观念。互联网的发展具有两面效应：它既可以用来传播先进的文化，也可以被用来散布各种文化垃圾；既为人们思想观念的丰富发展提供了欣的广阔天地，又为许多负面信息的传播打开了方便之门。从互联网的发展上可以看出，其两个方面的作用构成了矛盾双方：其中传播先进文化是主要方面，它主要规定着互联网所具有的积极的性质，但人们也不能忽视互联网散布各种文化垃圾的消极作用。中国互联网络信息中心（CNNIC）发布的第 50 次《中国互联网络发展状况统计报告 2022》指出截至 2022 年 6 月，中国网民规模达到 10.51 亿，互联网普及率达 74.4%。互联网这两方面作用的主次地位，在一定条件下可能相互转化，因此应该对互联网进行必要的管理和科学的引导。

总的来说，在一定条件下，两个事物构成矛盾统一体，这是有条件的同一性。矛盾统一体一旦形成，斗争就是必然的，此为绝对的斗争性。斗争性和同一性在不同的具体情况下，分别占主导地位，共同推动事物发展。

我国历史上曾经产生过不少有关社会和谐的思想。孔子说过“和为贵”，墨子提出了“兼相爱”“爱无差”等理想社会方案，孟子描绘了“老吾老以及人之老；幼吾幼以及人之幼”的社会状态。这些我国历史上有关社会和谐的思想着重强调矛盾双方的和谐统一，百姓安居乐业，这对促进社会安定、国家统一是有积极意义的。但这一思想掩盖了阶级对立，在奴隶社会和封建主义制度下也不可能实现真正的社会和谐。

在认识矛盾的过程中，还要了解矛盾的普遍性和特殊性。矛盾的普遍性是指矛盾存在于一切事物中，存在于一切事物发展过程的始终，即所谓矛盾无处不在，无时不有。哪怕一滴水，一片树叶，一个人，或者思想现象，矛盾是普遍存在的，没有什么事物是不包含矛盾的。

什么又是矛盾的特殊性呢？矛盾的特殊性是指具体事物在其运动中的矛盾及每一矛盾的各个方面都有其特点。现实生活中，比较复杂的事物都是由诸多矛盾构成的系统。在矛盾群中又存在着根本矛盾和非根本矛盾、主要矛盾和次要矛盾。根本矛盾贯穿事物发展过程的始终，规定着事物的性质。主要矛盾是矛盾体系中处于支配地位，对事物发展起决定作用的矛盾。

非根本矛盾、次要矛盾是处于服从地位的矛盾。在每一对矛盾中，又有矛盾的主要方面与矛盾的次要方面，矛盾的性质主要是由矛盾的主要方面决定的。举个例子，在学习流体力学、传热学的过程中，我们要搞清楚动量、能量传递方面的内容，这就是根本矛盾，那么要解决这个问题就需要在分析动量、能量传递过程中采用量纲分析法来建立一些特征数，比如雷诺数表征惯性力与黏性力的相对大小，普朗特数表征动量传递与热量传递的比值。在实际分析时，经常需要重点考虑影响大的物理量，这就是主要矛盾，忽略影响小的物理量，这就是次要矛盾，进而来简化分析。比如当管内流体流动的雷诺数小于 2 300 时，此时流体的黏性力占主导，流体处于层流状态；当雷诺数超过 4 000 时，流体的惯性力占主导，引起流体的脉动，使流体处于湍流状态。在计算管内流体流动引起的摩擦阻力时，根据流动处于层流（黏性力主导）还是湍流状态（惯性力主导），摩擦阻力的计算公式的推导过程及最终形式也是不同的，这主要是由主导力，也就是主要矛盾决定的。“高等数学的主要基础之一，就是矛盾。”在我们进行相关公式的推导中，经常使用泰勒级数展开的方法。

$$f\left(x_0+\mathrm{d}x\right)=f\left(x_0\right)+f'\left(x_0\right)\mathrm{d}x+f''\left(x_0\right)(\mathrm{d}x)^2\frac{1}{2!}+\ldots \qquad (1)$$

在式（1）右侧第三项 $f''\left(x_0\right)(\mathrm{d}x)^2\frac{1}{2!}$ 远远小于第一项和第二项的和，这里 $f''\left(x_0\right)(\mathrm{d}x)^2\frac{1}{2!}$ 就是我们所说的次要矛盾，而第一项和第二项的和就被视为主要矛盾。

$$f''\left(x_0\right)(\mathrm{d}x)^2\frac{1}{2!}\approx f\left(x_0\right)+f'\left(x_0\right)\mathrm{d}x \qquad (2)$$

如式（2）所示，因此在分析时，我们经常使用第一项和第二项的和来近似 $f\left(x_0+\mathrm{d}x\right)$ 的值，

$$f\left(x_0+\mathrm{d}x\right)=f\left(x_0\right)+f'\left(x_0\right)\mathrm{d}x \qquad (3)$$

式（3）也就是常用的线性假设（见图 1）。

通过该分析方法，可以将方程简化一次方程，极大地简化了分析。抓

住了主要矛盾，就抓住了解决问题的关键。所以，要区分主导因素和次要因素，科学研究和学习工作，都要把握主要矛盾。

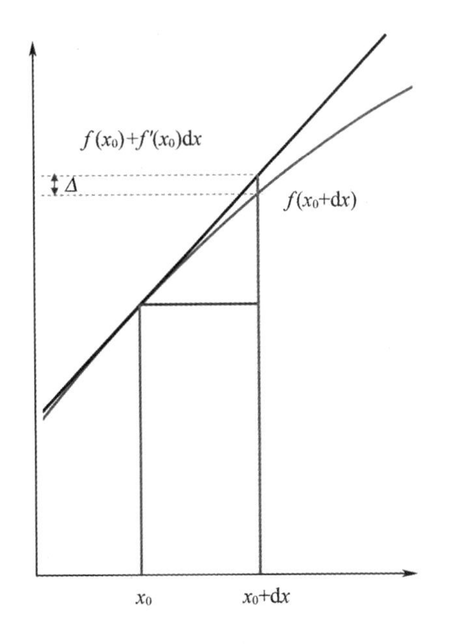

图1　泰勒级数展开

毛泽东非常重视矛盾分析方法，把矛盾分析法作为认识事物最根本的方法，毛泽东在《矛盾论》中指出："关于事物矛盾的问题的精髓，不懂得它，就等于抛弃了辩证法。"这里讲的矛盾问题的精髓指的就是矛盾的共性和个性、绝对和相对的道理。矛盾的普遍性和特殊性辩证关系的原理是马克思主义的普遍真理同各国的具体实际相结合的哲学基础，也是建设中国特色社会主义的哲学基础。中国特色社会主义，是科学社会主义理论逻辑和中国社会发展历史逻辑的辩证统一，是根植于中国大地、反映中国人民意愿、适应中国和时代发展进步要求的科学社会主义，是实现全面建设社会主义现代化国家、实现中华民族伟大复兴的必由之路。

建设社会主义是一次伟大的长征，走过社会主义初级阶段至少需要上百年时间。在这个进程中，社会主要矛盾不是一成不变的。长期以来，人民日益增长的物质文化需要同落后的社会生产之间的矛盾是我国社会主要矛盾。2017 年党的十九大对社会主要矛盾作出新表述："中国特色社会主义进入新时代，我国社会主要矛盾已经转化为人民日益增长的美好生活需要和不平衡不充分的发展之间的矛盾。”我们都知道,发展是一个动态平衡。不平衡不充分是永远存在的，但当社会发展到了一定阶段，不平衡不充分成为社会主要矛盾的主要方面时，就必须下功夫去认识它、解决它，否则就会制约发展全局。分析问题，就是对矛盾的诸方面进行系统的周密的调查和研究，暴露事物的内部联系；解决问题，就是把分析的结果加以综合，指明矛盾的性质，提出解决矛盾的办法。系统科学中的系统方法，其实质、核心或基础，就是矛盾分析方法。

案例展示

从第一颗原子弹的爆炸成功讲起

1964 年 10 月 16 日，我国第一颗原子弹爆炸成功，从此中国人民独立自主地掌握了核技术。

时间的齿轮退回到 20 世纪 50 年代初，新中国面临的形势依然严峻。一方面，人民政权接收的是旧中国遗留下来的一副烂摊子，经济和科技十分落后；另一方面，帝国主义不甘心其侵略政策在中国的彻底失败，对新生的共和国实行经济封锁、政治孤立、舆论打击和军事威胁，企图把她活活扼杀在摇篮里。这里我们看到的是诸多矛盾构成的系统之中的主要矛盾，国家刚刚在废墟之上建立起来，想要发展但是外围势力的打压不允许国家发展建设，这就是主要矛盾。1950 年 9 月，美国前副总统华莱士给毛泽东写了一封信，“如果新中国在学会制造卡车和拖拉机之前先学会了制造坦克，这将是一个世界的悲剧。”可是，就在这封信到达北京的同时，美军飞机不断侵入中国领空，美军的炸弹已扔到了鸭绿江畔。周恩来总理在全国政治协商会议上说：“是敌人不许我们建设，逼得我们不能造拖拉机。”毛泽东整整思考了三天三夜，毅然派遣中国人民志愿军赴朝作战。

斗争性是矛盾着的对立面之间相互排斥、相互分离的性质和趋势。美国的核讹诈政策，吓不倒中国人民。面对赤裸裸的核威胁，毛泽东说："世界战争的危险和对中国的威胁主要来自美国的好战分子。他们侵占中国的台湾和台湾海峡，还想发动原子战争。我们有两条：第一，我们不要战争；第二，如果有人来侵略我们，我们就予以坚决回击。我们对共产党员和全国人民就是这样进行教育的。美国的原子讹诈，吓不倒中国人民。"

由于帝国主义和封建主义的长期压迫，我国的科学和技术的发展是落后的。在研发初期阶段，核武器的研究在很大程度上希望得到苏联的帮助，同时苏联也需要中国的发展，进而对美国予以牵制。这是由于矛盾双方相互依存，互为存在的条件，矛盾双方可以利用对方的发展使自己获得发展。因此苏联在中国的建设初期，尤其是在工业体系建设方面给予中国很多的帮助。可这一切却随着中苏关系的恶化戛然而止。20 世纪 50 年代末期，中苏关系恶化，苏联单方面撕毁了两国签订的《国防新技术协定》，拒绝向中国提供制造核武器的技术援助，不久就撤走了专家，这对刚刚开始进行核事业建设的中国无异于釜底抽薪。

事物发展过程的根本矛盾，以及为此根本矛盾所规定的过程的本质，非到过程完结之日，是不会消灭的。但是事物的发展过程很长，那么在这个过程中的各个发展阶段，情形又往往互相区别。这是因为在事物的发展过程中，根本矛盾所体现的性质同发展过程的本质虽然没有变化，但是根本矛盾在这一过程中的各个发展阶段上采取了逐渐激化的形式。比如，中苏两党在苏联举行高级会谈，中方团长邓小平坦率地说："中国共产党永远不会接受父子党、父子国的关系。你们撤走专家，中断协定，给我们造成了困难和损失，影响了我们国家建设的整个计划和外贸计划，这些计划都要重新进行安排。中国人民准备吞下这个损失，决心用自己双手的劳动来弥补这个损失，建设自己的国家。"苏联援华专家顾问团的别列涅金在回国前还讥讽说："没有苏联帮助，你们 20 年内造不出原子弹……你们想搞，还得请我们回来。否则，你们的设备将会变成一堆破铜烂铁。"

根据矛盾的同一性和斗争性相互联结、相互制约的原理，要求我们在分析和解决矛盾时，必须从对立中把握同一，在同一中把握对立。被根本矛盾所规定或影响的许多大小矛盾中，有些是激化了，有些是暂时的或局部地解决了，或者缓和了，又有些是发生了，因此，过程就显出阶段性来。如果人们不去注意事物发展过程中的阶段性，人们就不能适当地处理事物的矛盾。苏联对我国进行援助的最初矛盾就一直存在，这是矛盾的自身特点决定的，矛盾是普遍存在的。矛盾同一性和斗争性原理说明，和谐作为矛盾的一种特殊表现形式，体现着矛盾双方的相互依存、相互促进、共同发展，因此我们在接受援助的过程中，依然牢牢把握住我们的法宝，就是独立自主。聂荣臻曾明确提出："为了摆脱我国一个多世纪以来经常受帝国主义欺凌压迫的局面，我们应该发展以导弹、原子弹为标志的尖端武器，以便在我国遭受帝国主义核武器袭击时，有起码的还击手段。同时，通过制定《十二年科学规划》和前一段研究尖端武器的实践，我们已经深感'两弹'是现代科学技术的结晶，坚持搞'两弹'，还可以带动我国许多现代科学技术向前发展。所以，我们应该'上马'，应该攻关。"

"世界各国就看中国两件事，一是粮食，一是原子弹。搞不出原子弹，别的都是空的。"讲这句话的人是陈毅，这是从矛盾斗争性的丰富内容和多样的形式着眼的。由于矛盾的性质不同，矛盾的斗争形势也不同，对于多种多样的斗争形势，可以区分为对抗性和非对抗性两种基本形式，我们可以从事物的本质属性上来理解，这里提到的粮食就是非对抗性，而原子弹就是对抗性。

正是在党的统一领导下、全国各单位和各部门大力协同下，核事业建设的局面逐渐展开。这种倾全国之力于核武器研制之上的集中发展优势很快就体现出来。矛盾的斗争性也在事物的发展中起到作用，斗争推动矛盾双方力量对比发生变化，造成事物的量变。"两弹一星"功勋王淦昌认为："（20世纪）60年代中期，是我国核科学技术取得重要成果的高峰期。在中央专委的统一领导下，全国大力协同，集中了人力、物力，组织了许多优秀的核科技工作者，团结一致，扎扎实实，艰苦努力，深入研究，攻克了许多技术难关，取得了举世瞩目的成就。”斗争促使矛盾双方地位或性质转化，实现事物的质变，从无到有的“量变”，再到由有到优的“质变”，在建设祖国的过程中，正是因为有了中国共产党的领导，才有了核事业建设取得的成绩！

第十一章 百花齐放——内容与形式的关系

构成要素和表现方式两个方面及其相互关系是反映事物的一对范畴。

什么是内容？内容是事物存在的基础，内容是指事物内部各种要素的总和，即事物的各种内在矛盾以及由这些矛盾所决定的事物的特征、成分、运动的过程、发展的趋势等等的总和。

什么是形式？形式是事物的存在方式，是事物的结构和组织，是指把内容诸要素统一起来的结构和表现内容的方式。

内容与形式之间是辩证统一的关系。内容是事物存在的基础，内容决定形式。从根本上说，有什么样的内容，就有什么样的形式；事物的内容发生了变化，其形式迟早也要发生相应的变化。视频、文章、图片、音频等是形式，而它们所要表达的主旨思想便是内容；西餐、日料、烧烤、火锅等是形式，而"食物"这一概念则是它们的内容。

对于形式的界定有哪些划分呢？形式往往有两种界定方式，一是和内容不相关的非本质的外在形式，比如一部电影，可以通过手机这种形式观看，可以通过电影院的幕布播放，也可以通过电视机播放的形式呈现，也就是其可以在不同的载体形式中表现内容。二是和内容密切相关的本质的内在形式，比如一部电影的角色刻画、台词语言、故事题材等。

内容与形式的探索历程源远流长。早在古希腊时期，哲学家便提出了质料和形式的范畴，对内容与形式以及二者的关系进行了探索，成为内容与形式及其相互关系的雏形。近代，康德研究了思维的形式和内容，认为内容与形式是相互割裂和绝对对立的；黑格尔则提出了不同的看法，他在哲学美学体系中对内容与形式及其相互关系提出了新的见解，即不将形式简单理解为外在于内容的东西，而将其看作内容的形式，将内容与形式看作统一体，彼此之间相互作用、相互转化。最终，辩证唯物主义在总结概括哲学史上积极思想成果的基础上，指明了内容与形式相互作用、相互制约的辩证原理。

学习的能量方程的表达如式（1），动量方程表达如式（2），

$$\frac{\partial T}{\partial \tau}+\mu\frac{\partial T}{\partial x}+\nu\frac{\partial T}{\partial y}=\alpha\left(\frac{\partial^2 T}{\partial x^2}+\frac{\partial^2 T}{\partial y^2}\right) \quad (1)$$

$$\frac{\partial \mu}{\partial \tau}+\mu\frac{\partial \mu}{\partial x}+\nu\frac{\partial \mu}{\partial y}=\nu\left(\frac{\partial^2 \mu}{\partial x^2}+\frac{\partial^2 \mu}{\partial y^2}\right) \quad (2)$$

虽然两个公式在表达的“内容”上不同，但是从表达的“形式”来看两个公式基本一致，仅仅是将公式中的关键变量进行了统一替代，就成为一组新的关系表达，这就是内容与形式相互作用，相互转化。再比如万有引力定律公式与库仑定律公式，从表达形式上就从属于一类。我们发现，在我们学习的专业课程之间，它们彼此不是孤立存在的，是有一定联系的，所有课程中的公式也并非都是第一次见到，这些公式或许已经在以往学习过的专业课程中，以几近相同的“形式”出现过，可以说，我们学习的大多数公式，在最原始的数学公理中都能找到它们的影子，它们多数是数学科目中一些基本公理式的表达。所以，将基础理论学习扎实，各类专业课程的学习也会实现一通百通。

那么内容与形式之间的辩证关系是怎样的呢?

内容与形式是辩证统一的。没有无形式的内容，也没有无内容的形式。内容与形式是叠态的影像。

首先是内容决定形式，形式依赖于内容，并随着内容的发展而改变。例如自人类社会进入电气化时代，电力成为人类社会重要能源，而产生电力的方式有多种，包括火电、水电、风电、潮汐发电和核电等。各种各样的发电方式组合构成了电的来源。从内容上看发电的工作原理是相同的，都是推动发电机组运行，如利用自然界动能，燃烧化石燃料或核反应传热，只是在形式上各有差异和不同，如水电站是利用水位的高低落差产生动能，带动发电机组；火电站是直接燃烧化石燃料烧水，用蒸汽带动蒸汽轮机发

电机组；核电是利用中子与原子核的反应，通过传热的方式烧水，产生蒸汽进而带动汽轮机发电机组工作。再比如核电站建设计划的调整是外在的形式，而对于核安全的关注则是形式之下的内容。在2011年日本福岛核事故发生后，为将此类事故扼杀在萌芽中，我国针对核安全相关问题重新调整核电站建设计划，全面审查在建核电站，不符合安全标准的要立即停止建设，并且暂停审批新建的核电项目，我国核电牌照的颁发更加慎重。时至2017年，《中华人民共和国核安全法》正式发布，更是直接把有关核电安全的基本方针、监管制度、具体要求等上升至法律高度。此种情况一直维持到2019年。通过对核电技术、安全做出严格的考量和布局，2019年4月，生态环境部公开表示，我国将在确保安全的前提下，陆续开工建设核电项目。形式反作用于内容。建立科学合理的管理规范，这一行为成为其实现“视安全为生命”的承诺的重要形式，推动其在安全开发、应用核能源的核心内容上行稳致远。

其次形式又反作用于内容，从而影响内容。当形式适合于内容时，它对内容的发展起着强有力的促进作用，反之，就起严重的阻碍作用。机器零件中的各个部件如果搭配得当，机器运转就是顺畅的，反之，如果应该用齿轮的地方用滑轮，应该用螺丝固定的地方，还是松松散散，那么机器就无法正常运转。

对于这点，也可以从轮子的演变来看形式与内容的关系。最早轮子是被用在双轮运货马车上来运输笨重货物，但在一些缺乏优质木料的地方，人们就试图用石料制造轮子，这些早期的木轮或石轮虽然牢固，但是相当笨重，它们需要很强的拉力，所以轴承很快就遭到了磨损，因此我们可以看出，当形式不适合于内容时，就起到了阻碍作用：货物还没有拉动，只光拉轮子就已经用掉了大部分的力气。在认识与发展的驱使下，人们通过在木板上开洞制造较轻的轮子；再给轮子装上辐条，为了增加缓冲减少颠簸；给轮子加上了橡胶，为了提高承载重力，给轮子加上铁皮、钢圈等等。从这一点可以看出，当形式适合于内容时，它对内容的发展就起着促进作用。

最后内容与形式的关系又是相对的，作为一定内容的形式，可以成为另一形式的内容。比如太阳照在我们身上很暖，这是通过辐射的方式实现能量传递，那么我们利用镜子进行反射太阳的光线，是不是也能够实现让身体暖和起来呢？如果是理想的镜子那么对所有电磁波都能够反射，而一般说的热是指红外线，当然也能反射。但是我们通常见到的镜子一般都镀了一层银膜，银膜在红外的反射率很高，而普通玻璃在中远红外波段以反射和吸收为主，只有在近红外波段进行，所以普通镜子的热反射率，虽比不上可见光但不是很差。因此我们的感觉不是像太阳光直接照在身上那么热，这也是因为形式的改变成为另一形式的内容。

结合内容与形式的要求，在观察问题时，首先注重事物的内容，同时也能不忽视形式的作用。内容与形式在事物发展过程中有着不同的地位和作用。就事物的矛盾关系而言，内容属于矛盾的主要方面，起决定作用，而形式则属于矛盾的非主要方面，不起决定作用。有一个准则常用来评价事物——不要看他说了什么，而要看他做了什么。说和做都属于形式上的东西，而说和做的内容则是反映实质的。疫情让我们很多人就看清了西式民主的形式性，美国把一人一票当作所谓民主的最高形式，但当成千上万的人民在面对新冠肺炎疫情而苦苦挣扎时，政党还在持续恶斗，将政党私利凌驾于人民生命健康之上。所谓的“自由民主”只有响亮的口号，但实际上连人的基本生存权都无法保证，这种民主不过是形式民主。

内容与形式的相互作用构成它们之间的矛盾运动。内容与形式的统一，不是在静止中而是在它们的矛盾运动中实现的。事物的发展变化一般首先是从内容开始的。活跃的内容和稳定的形式始终存在着矛盾，它们在任何时候都不是绝对适合的。新的、发展了的内容打破陈旧的过时的形式，并建立起与自己相适应的新形式，在新的基础上达到内容与形式的新的统一，开始了新的矛盾运动的过程。事物就是在内容与形式的这种循环往复的矛盾运动中，不断更新、不断发展的。这就是由于历史的发展和特定社会的需求，在内容发展了的同时，必须有新的形式与之相适应。所以，我们要调整旧的形式，创立新形式。而这新形式又必须在旧形式上继承和扬弃，使之能为新内容而服务。例如中华优秀传统文化是我们文化的“根”，习近平总书记强调要“推动中华优秀传统文化创造性转化、创新性发展”，这里“创造性转化”指的就是要按照时代特点和要求，对那些至今仍有借鉴价值的内涵和陈旧的表现形式加以改造，赋予新的时代内涵和现代表达形式，激活其生命力。“创新性发展”就是要按照时代的新进步新进展，对中华优秀传统文化的内涵加以补充、拓展、完善，增强其影响力和感召力。

正确把握内容与形式的关系具有重要的方法论意义。在实践活动中，要特别注意事物的内容，依据内容的发展而不断改造形式。要善于适应内容的需要，根据不同的时间、地点和条件，去选择、利用和创造最佳的形式，促进内容的发展。形式是重要的，忽视甚至否定形式的作用是错误的；不顾内容只注意形式，或者脱离内容单纯追求形式，同样是错误的。

案例展示

一、天灾还是人祸

日本福岛核电站始建于 1971 年，虽然占地面积大，社会功用强，但福岛核电站所采用的均是安全性较差的单循环沸水堆，即通过直接引入冷却水加热发电，使沸水堆中的冷却水汽化为水蒸气后传热。虽然单循环沸水堆技术要求低且成本低廉，但由于单通道循环，其中的热量难以排出，更容易比其他类型的反应堆发生因堆芯过热导致的事故。不仅如此，福岛核电站的防护措施也存在许多漏洞，例如作为第二道防护措施的柴油发电机存放在核电站地下，完全处于海平面以下，存在严重的淹没风险；核电站近海外侧的防潮堤坝设计高度也只有 5 米，完全不能抵御大型浪潮等。这些设计缺陷都为福岛核电站泄漏事故埋下了安全隐患。根据 2012 年 5 月东京电力公司发布的数据，事故产生的放射性释放总量约为切尔诺贝利事故释放量的 20%，其泄漏事故却也被界定为最高等级的 7 级重大核事故。

除了设备的安全性能与预防措施存在严重的漏洞外，核电站及其相关工作人员的失职也是福岛核电站泄漏事故危害性强、涉及范围广的一大原因。在核泄漏发生前，核电站厂长及各方专家并未及时向上通报东电公司，而是在最后一道防线失守后才告知状况。东电公司在获知泄漏危机后，也并未如实向日本政府汇报当前形势，而是故意隐瞒实际情况，由此造成了不可逆的巨大核灾害。

其实，在此之前，福岛核电站就屡次发生安全事故，无论是废料池池水外溢还是放射性物质泄露，无不表现出其不以现实为依据的内核。总之，福岛核电站的屡次事件生动地证明了内容与形式的相互关系。

内容决定形式。首先，福岛核电站泄漏事故的首要原因就是其自身设计上的不足与缺陷。而这种没有立足实际需求的思想便是内容，存在巨大安全隐患的基础设施与运作逻辑不合理的安全防御体系便是这种没有立足实际需求的表现形式。日本政府不考虑实际需求，贪图蝇头小利，贸然采用成本低廉、技术简单，却性能不足的沸水堆作为福岛核电站的基础设施，为日后的核泄漏埋下了一颗定时炸弹。其次，福岛核电站泄漏事故的另一原因是安全屏障的运行存在矛盾。日本政府没有充分考虑日本的地势特征与大型自然灾害频发的实际情况便是内容，而福岛核电站在安全屏障的不合理设计便是形式。日本核电站在建设时虽准备了预防断电的柴油发电机，但并没有对其进行合理的安排，忽略了日本地震海啸的频率之高、强度之大，做出了全部将柴油发电机均存放于发电站海平面以下的仓库的决定。再次，人为因素是导致福岛核电站泄漏不断扩散的重要原因。相关工作人员没有考虑到情况之危重的情况与不敢担责、抱有侥幸、不加重视的心理因素是内容及核心，而他们不报、瞒报的行为则是形式，他们疏忽大意核电站的工作决定了他们面对上级隐瞒的行为发生。

二、为了和平　我们需要武器

邓稼先，中国科学院院士，著名核物理学家，中国核武器研制工作的开拓者和奠基者，被誉为“两弹元勋”。他成功地设计了我国第一颗原子弹和氢弹，把我国国防自卫武器提升到了世界先进水平。

邓稼先在一次核试验中，受到核辐射，身患直肠癌，最终因手术时大出血在北京不幸逝世，终年 62 岁。邓稼先对于祖国的爱是热烈的，他终其一生都在“内容与形式”中耕耘着，内容是让国家强起来，形式是怎样让国家强起来，最终他交上了令自己满意的答卷。

邓稼先

邓稼先毕业于国立西南联合大学，在实践中，他明白内容决定形式，形式依赖于内容，想要建设祖国就必须走正确的道路，采用合适的形式。而合适的形式是怎样的，根据内容与形式的辩证法，观察问题时首先注重事物的内容，同时也不忽视形式的作用，建设祖国是头等重要的大事，可是要走“留在祖国一辈子”的路，单凭祖国现有的科学研究条件，怕是很难迅速为祖国做显著的贡献。所以，留美深造是最为适合此时的形式。到了美国，邓稼先始终牢记，在美国学到本领回去建设祖国是留在美国的最终目标。他脚踏实地，孜孜不倦地学习美国的研究成果。皇天不负有心人，邓稼先仅用一年多便获得博士学位，甚至因年岁太小被喊作“娃娃博士”。邓稼先并没有止步于此，学历只是衡量学力的标杆，是一种形式，自己究竟学到了多少，才是这份学历存在的基础，这也更是邓稼先最在意的事情。荣誉或是学历都是形式上的，学到的本事才是扎扎实实的内容，把本领献给建设祖国的事业才是最大实际。最终，邓稼先和数百专家学者克服种种困难回到了祖国，准备大展拳脚。

不同于其他的工作，原子弹的工作需要严格保密，保密地进行研究是核武器研制最合适的形式，形式也只是事物的存在方式，研究本身作为内容才是核武器研制存在的基础。邓稼先明白保密不过是研究需要，也只有保密地进行研究这种形式才能保证核武器的研制顺利进行，为了建设祖国，他义无反顾地同意了这一要求，回家对妻子只说自己“要调动工作”，不能再照顾家和孩子，通信也困难，妻子表示支持。从此，邓稼先的名字便在刊物和对外联络中消失，他的身影只出现在严格警卫的深院和大漠戈壁，默默工作在核武器研制的一线。

核武器的研制如火如荼地开展，但好景不长，20 世纪 50 年代末 60 年代初，我国处在严重的困难时期。对于原子能事业来说，那是一个“卡脖子”的时代。苏联单方面违背两国签订的《国防新技术协定》，命令帮助中国研究的科学家全部撤走。邓稼先虽倍感愤怒，也不得不接受这一事实，并主动适应。求实的精神是那个时代科学家的主旋律，离开苏联的帮助，我们也能一步一个脚印地摸索前进。由于初期苏联的帮助，核武器的研制已经略有进展，内容发展了，既然旧的形式本身无法继续，那就必须有新的形式与之相适应。所以核武器研究人员打破旧的形式，客观地观察现状，得出了对核武器后续研制工作的正确认识，对曾经有苏联帮助的旧形式进行继承和扬弃，创立了新形式，在核武器研制上彻底走上了自己独立研究的道路。我们的新形式是“因地制宜”的，是求实的，就是没有任何外界帮助，我们也能自己前进。事实证明，我们的新形式是适合核武器研制这一内容的，对核武器研制起到了极大的促进作用。我们的核武器从开始研究到最终爆炸用时极短，向世界证明了我国的大国气魄。

邓稼先先生，一生都行走在求实的道路上，一生都脚踏在祖国大地上，从来都是用真本领去解决问题。虽然核武器研制需要保密，但他深知这种形式是必需的，他选择了默默接受。他从不忽视形式的作用，年轻时赴美求学，学成后回归祖国隐姓埋名研究原子弹，形式各有不同，但都基于一个内容——建设祖国，为祖国发展助力。这个内容在不同时期亦有不同的具体展现，不同时期的祖国有不同的需求——需要人才，需要核领域的人才，需要原子弹，那么不同时期的邓稼先就采取不同的形式，祖国求学，赴美留学，搞原子弹研制。他结合实际，最终将一身本领献给祖国，为祖国发展作出了巨大贡献。

三、聚变——裂变新型混合堆路线先行者

彭先觉，原子核物理学专家。1959 年考入哈尔滨军事工程学院（现哈尔滨工程大学）原子能工程系，因成绩优异，毕业后被分配到北京第九研究所理论部从事核武器的研制设计工作。彭先觉走过的一条艰辛成才之路，可以用“八分汗水，两分天智”来概括。

彭先觉

1964 年秋，彭先觉离开校门，开始了从事核武器的理论研究及设计工作。一入“核门”数十载，他参与领导了我国第一代核武器和第二代核武器中多个重要型号氢弹主体的理论设计、试验和定型工作，从少年弱冠到年逾古稀，他将自己的一生都献给了钟情的核科研事业。一路的艰辛学习，对彭先觉来说不过是求得核领域知识的必经之路，刻苦努力地学习也是求得核科学这一高深领域的合适形式。工作上他也只管埋头苦干，不求显名于社会，为祖国奉献，不必分心于个人荣誉的得失，埋头苦干是那个年代的主旋律，也是建设祖国的最佳形式。彭先觉将自己的智慧与才华都无怨无悔地献给了祖国的核科技事业。

内容是事物存在的基础，是事物的内在诸要素的总和，彭先觉能够成为核科学领域的带头人，拥有众多荣誉傍身，靠的正是自己一日不停对知识的吸取，靠的正是自己日夜不停的工作与实践。

彭先觉在求实的道路上努力奋斗，也正是因为他始终扎根于祖国大地，使得他对于祖国的提议都是基于实际的。他提出采用核爆炸技术，炸开喜马拉雅山，提出引流雅鲁藏布江丰富的水资源用于发电，建设世界上最大

的水力发电站。然后利用电站发的电力从雅鲁藏布江提水 200 亿立方米，通过渠道将水引到位于青藏高原东北方向的青海、新疆与甘肃，改变土地面积约占全国 47% 的大西北的生态环境。经测算，通过调水，可以建成 3 个富饶的四川盆地。想法一经提出，便引起众多专家强烈反响，这说明他的提议是有理可依的，有实可据的，这才能引发众多我国科学家的响应。

历史是不断发展的，特定社会的需求也是不断变化的，在祖国的新时代，建设祖国这一特定内容发展了的同时，必须有新的形式与之相适应，新中国已经拥有了核武器，在核领域逐渐缩短与发达国家的距离，这是客观的实际情况。但这样的状况是众多科学家远赴他国带来的，新的内容需要新的形式，在我国核武器已经取得重大进展的背景下，我国需要一批完全生长在中国核科学领域大地上的“土著”科学家，继续发展我国的核科学，需要中国自己的核科学家。随着我国国力不断强大，众多留学归来的科学家为我国核科学教学带来新思路、新内容，也为我国培养自己的核科学家奠定了技术基础，在这样的条件下，彭先觉等科学家们出现了。彭先觉是新中国自己培养出来的科学家，是华夏儿女的新生代。他们是中国自己的科学家，能够更好地做到结合我国的实际走中国特色的核科学发展道路。事实上，以彭先觉为例，他的研究都是基于我国的国情，无时无刻不脚踩在祖国大地的泥土上，发扬求实精神，把核领域的先进科学理论同我国的实际相结合，让核科学之花在我国的枝桠上怒放。

这两位科学家的经历是“吾将上下而求索”的一份执着,也是“为了它，死也值得”的不懈追寻。他们用自己的一言一行深刻地诠释了熠熠生辉的科学家精神，他们用毕生的心血为祖国的国防与科技事业做出了卓绝的贡献。他们的一生都奉献于国家的核安全事业，并带领团队取得了众多领先世界的科研成果，这些令人肃然起敬的成就与他们背后默默无闻毕生钻研的付出，都是求实精神的形式表现。让求实精神作为科研品质内核，深嵌在他们乃至每一位科学家的科研始终，作为内容决定着其形式的存在与发展。他们对科学的求实精神真正做到了内容与形式的统一，也因内容与形式的辩证统一，才塑造了一位位高山仰止的科学家形象。

第十二章 肩负使命——个人与社会的关系

人类社会是自然界发展到一定阶段随着人类的产生而出现的，是物质世界中最高级、最复杂的运动形式。在由自然界到人类社会的飞跃中，劳动起着决定性的作用。社会与自然界既对立又统一。人、社会、自然普遍联系，永恒发展。

如何理解人与社会是统一的？人和社会同时产生，永远处于不可分割的联系之中。人总是社会的人，社会为每个人的生存与发展提供前提和条件。社会是由人构成的，没有人就没有社会，社会不论其形式如何，都是人们交互活动的产物。离开人与社会的有机统一，既无法理解人，也无法理解社会。习近平总书记曾在公共场合多次强调核安全的重要性，他在 2014 年 3 月在海牙第三届国际核安全峰会上阐述中国核安全观时明确指出："荷兰哲人伊拉斯谟说过，预防胜于治疗。近几年，国际上发生的重大核事故为各国敲响了警钟，我们必须尽一切可能防止历史悲剧重演。"

1986 年 4 月 26 日切尔诺贝利的核电厂正在进行一个为测试反应堆安全性的实验，可是因为操作员不了解反应堆的设计缺陷，违反规章制度，并且接二连三出现违反规程的失误操作，再加上拙劣的反应堆设计，致使冷却系统停止工作，链式反应变得越来越失控，进而引发的一系列的连锁反应使堆芯中的放射性物质被烟携带扩散到反应堆外，造成了周围地区严重的放射性污染。这就是有史以来最严重的核反应堆事故，也是人类历史上的一大悲剧，总共造成 2 000 亿美元的损失，然而财产损失在伤亡人数面前根本不值一提，由于短时间内散布出大量辐射，核电站周围的居民来不及撤离，导致 31 人当场死亡，200 多人受到严重的放射性辐射，在之后的 15 年内死亡人数达到了 6 万～ 8 万人，还有 13.4 万人长期遭受各种辐射疾病的折磨，方圆 30 千米地区的 11.5 万民众被迫疏散，核电站所处的普里皮亚季城也因此被废弃。

人类社会生活是由各行各业的活动构成的有机整体，任何个人的活动对社会的发展总会产生这样或那样的影响。个人总是处在一定的社会关系中，不可能离开社会而独立存在，社会为个人提供自身发展条件的同时也制约着个人的生存和发展。

什么是个人？个人是指人在一定的社会物质生活条件下和社会关系中具体的个体，或社会活动主体中的个体。社会是指人们交互作用的产物，是在共同的物质生产活动基础上相互联系的人们共同生活的共同体。人是社会的主体，劳动是人类社会生存和发展的前提，物质资料的生产是社会存在的基本条件。人们在生产中形成的与一定生产力发展状况相适应的生产关系，构成了社会的经济基础。在这基础上产生与它相适应的上层建筑。

个人不等同于个人主义。个人主义强调的是“我”而不是“我们”，一切以个人的自由意愿为出发点。其与资本主义市场经济的“理性人”思想相通，认为当社会中的每个人最大限度地追求个人成功便会带动集体和文明的发展。个人与个人主义最大的区别在于，个人主义将个人的作用和利益看得比集体重要。简言之,个人主义所强调的核心,便是个人利益至上。

马克思学说是从“现实的个人”出发研究问题的。现实的个人是指活生生的、有着丰富需要的、在一定社会中进行生产的个人。个人是生活在一定社会关系中的，必然受到社会关系的制约。社会关系就是许多个人的共同活动，许多人的合作，而在个人的共同活动中必定结成共同体。《马克思恩格斯全集（第2卷）》指出，“利益把市民社会的成员彼此连接起来。”因此，个人的发展、利益的实现与共同体的存在和发展有着紧密的联系。

不承认和尊重个人利益，人们的积极性就调动不起来，甚至会出现社会的动荡。而不维护社会利益，人们为争取自己的私利相互争斗，社会同样会处于混乱状态，个人利益也得不到保障。改革开放以来，我国发展社会主义市场经济，每个人作为独立的利益主体的地位得到肯定，其积极性也被充分调动起来，这是我国三十多年来经济高速发展的根本原因所在。

人的社会性决定了人只有在推动社会进步的过程中，才能实现自我的发展。人生的自我价值，是个体的人生活动对自己的生存和发展所具有的价值，要表现为对自身物质和精神需要的满足程度。人生的社会价值，是个体的人生活动对社会、他人所具有的价值。二者相互区别，又密切联系、相互依存,共同构成了人生价值的矛盾统一体。这就好比在一个足球队之中，若是一个球员想要得到“最佳球员”的称号,自己必须得表现优异,突显优点，同时，足球队考验的是团队的协作能力，他还要与队员互相配合，才能向大家展现一个优秀的球队。若是每个球员都为“最佳球员”的称号而过分突出地表现自己，而忽视了与其他队友的配合，那么整个球队将会陷入一片混乱之中。不仅球队会输掉比赛,自己必然也会错失“最佳球员”的称号。

人生的自我价值是个体生存和发展的必要条件，人生自我价值的实现是个体为社会制造更大价值的前提，是个体通过努力提高自我价值的过程，也是其创造社会价值的过程。人生的社会价值是社会存在和发展的必然要求，人生社会价值的实现是个体自我完善、全面发展的保障。自身物质和精神需要能否得到满足和满足程度，取决于他的人生活动对社会和他人的贡献，即社会价值。这就好比一台正常运转的机器，社会就是这台机器，个人就是机器中的各个零件。人们表面上看到的是作为零件集合的社会的巨大生产能力，而实际上，正是因为有了零件才得以组成机器，正是因为零件的相互配合才有了机器的正常运转。在机器的运转中，零件与机器融为一体。个人的价值和意义融合在社会之中，并且通过社会取得的成就而表现出来。

社会需要是个人需要的集中体现，是社会全体成员带有根本性、全局性、长远性需要的反映。社会利益体现了作为社会成员的个人的根本利益和长远利益，是个人利益得以实现的前提和基础，同时它也保障着个人利益的实现。社会利益不是个人利益的简单相加，而是所有人利益的有机统一。个人利益的满足只能是在一定的社会条件下、通过一定的社会方式来实现。社会利益离不开个人利益，个人利益也离不开社会利益。个人在享受社会带来的权利的同时也要求个人在社会中主动肩负并承担一定的社会责任，实现个人利益与社会利益的有机统一。

在清末时期，国家面临着内忧外患的局势，外有强敌入侵，内有朝廷腐败。若国将不国,个人更是无法立足。个人的命运与国家的命运紧密相连，若是国家灭亡，那么个人就会变成流民，无所皈依、受人轻视；若是没有个人组成国家，那么国家又从何而来。在新中国成立以来，我们可以更加清楚地看到这一点。随着新中国的成立、改革开放的推进、经济快速发展、综合国力大幅上升和人民群众的共同努力，人民的生活得到了极大的改善，2021 年我国已全面建成小康社会，正向全面建设社会主义现代化国家、向着全面推进中华民族伟大复兴的中国梦迈进着。由此可见，当国家发展向好时，国家中的个人也会受益；当国家发展低迷时，国家中的个人也会受到牵连。可以说是一荣俱荣、一损俱损。

个人与社会是紧密联系、密不可分的关系。

首先，个人与社会是对立统一的关系，两者相互依存、相互制约并相互促进。社会是由个人组成的，个人是组成社会的基本单位，是构成社会的前提，个人的社会活动会对社会发展产生能动作用。科学技术是推动现代社会生产力发展的重要力量，掌握先进技术的核工程师在促进社会发展的核领域发挥着重要的作用。直接参与并推动工程的发展可以为人类文明进步作出贡献，但同时，由于核工程师的不专业操作，也会给核电站带来极大的安全风险，甚至导致灾难的发生。

其次，个人总是处在一定的社会关系中，不可能离开社会而独立存在，社会为个人提供自身发展条件的同时也制约着个人的生存和发展。每一位工程师都是在一定的社会环境中生活的，也都受到各自成长环境价值观念和道德责任感的影响，核工程师在参与核能工程建设并追求自我价值实现的过程中，也要受到学术道德和制度规范的制约，制约工程师的道德伦理仅仅靠社会舆论和自我良心是远远不够的，我们必须通过更加有力更加规范的方式来对他的行为进行制约。切尔诺贝利核电站中的规章制度并没有被操作人员所遵守，实验开始后，操纵员把反应堆应急堆芯冷却系统与多重强制循环回路断开，这是实验操纵员犯下的致命错误，严重违背了科学规律。

个人享受社会带来的权利的同时，也要在社会中主动肩负并承担一定的社会责任。因为工程师作为专业人员，不仅能够比一般人更早、更全面、更深刻地了解核领域的工程成果可能给人类带来的福祉，同时也比其他人更了解这一工程领域的基本原理以及所存在的潜在风险。因此工程师的特殊能力决定了他们在防范工程风险上具有不可推卸的伦理责任，也就是说，能力越大责任越大。所以，工程师应该有意识地去思考、预测、评估其所从事的工程活动可能产生的不利后果，主动把握研究方向；在情况允许时，工程师应自动停止危害性的工作。比如福岛核事故中，从日本政府及东京电力公司的反应及对事故的处置方式可以看出，东京电力公司将经济利益放在首位，未把公众生命安全放在首位，未及时采取有效措施，使核事故在初始阶段未得到有效控制及缓解。运营公司在反应堆健康状态欠佳状态下选择反应堆延寿，对反应堆的承受能力抱有严重的侥幸心理。另外，福岛事故还暴露出上级监管机构与营运公司间利益相关、监管不够的问题，没能使该堆型及时退役。

案例展示

一、切尔诺贝利的核阴霾

切尔诺贝利在当时被认为是最安全的核电站。但事后分析查证，发现操作人员对专业知识的了解并不深入，为了尽快提升功率以达到实验要求，严重违反操作流程。操作人员对危险预估过低，高估了控制能力，才导致事故向着不可挽回的方向疾驰。据史料记载，4 号机组实验有多项严重违规操作，催生了灾难的必然性：首先，操纵员缺失专业警惕性，为弥补操作失误而继续实验，导致了严重后果。其次，安全管理体制混乱，决策组织协调失序，缺乏专业能力。据资料记载，当时分管核电站安全事务的官员非常欠缺核专业知识。当时相关 RBMK 型反应堆设计、建造和运营过程，为了赶进度，很多必要的安全措施都被省略，事故两年前起草的核安全法律，也在终端执行环节虚置，这为灾难埋下伏笔。第三，事发后，核电站主任向上级瞒报，核电站附近的儿童次日照常上课，直到一天半后才撤离；整整18天后，民众才等来政府回应……应对失当让很多民众成了牺牲品。

由于核能技术的特殊性，在给人们造福的同时，也隐藏着难以估量的安全风险，一旦发生核安全事故，带来的后果不堪设想，工程师个人工程伦理观念的缺失可能成为事故发生的直接原因，给民众的安全带来极大威胁。梳理一下切尔诺贝利事故，操作人员缺乏相关的专业知识，为了达到实验要求进行多次违规操作，在知道错误操作可能带来的严重后果后，为了弥补错误操作，继续实验，丧失了专业警惕性，造成了灾难事故的发生，给社会带来了极大的破坏。

社会利益体现的是作为社会成员的个人的根本利益和长远利益，是个人利益得以实现的前提和基础，同时它也保障着个人利益的实现。切尔诺贝利的实际管理者对核电站的运作并不十分了解，他们更在意的是如何尽快完成任务和保证个人的升迁。管理者过度追求个人利益的实现，与利益集团相勾结，事后运用社会权力掩盖事故的真相，决策层更多地考虑国家的面子而不是如何制止悲剧的发生。他们并没有将社会利益放在首位，缺乏社会责任意识，过分追求个人或者某一利益集团的利益，损害的是切尔诺贝利整个社会的生存和发展权益。

二、中国核电从这里起步

1991年12月15日，我国第一座自行设计、自行建造的核电站——秦山核电站并网发电，我国成为世界上第七个能够自行设计建造核电站的国家。

秦山核电站的初期建设并不顺利，能够借鉴的第一手资料非常有限。“解决自行设计中的技术关键，只有通过自己的研究和开发，才能知其然，并且知其所以然，掌握技术上的主动权。”秦山核电站工程总设计师欧阳予说。在秦山核电站的建设过程中，每一张技术图纸都是中国人自己设计、自己绘制的。凭借一系列自主技术，秦山30万千瓦核电厂设计与建造项目荣获国家科技进步特等奖。

秦山核电站是我国第一座自己研究、设计和建造的核电站，核电站建设的初衷就是为了广大人民群众的根本利益，为社会造福，它的成功建设离不开广大科技工作者的奋斗。个人总是处在一定的社会关系中，不可能离开社会而独立存在，社会为个人提供自身发展条件的同时也制约着个人的生存和发展。秦山核电站开始建设时，面临着核心技术被外国企业所垄断，关键技术不足，人才缺乏等一系列的难题，这些客观条件制约着科技工作者核电站工作的顺利进行。社会是由个人组成的，个人是组成社会的基本单位，是构成社会的前提，个人的社会活动会对社会发展产生能动作用。在秦山核电站的建设过程中，技术专家通过自己的研发设计，掌握了技术上的主动权。“凡是中国自己能干的都自己干”，秦山二期建设者们下定决心自主设计，吸取秦山一期的经验教训，并参考了当时正在建设的大亚湾核电站，利用一切可能得到的资料，自力更生开展科研攻关，最终实现了设备技术的国产化，充分发挥了个人在社会实践活动中的主观能动性和创造性。

核工程师的伦理责任是为了社会和公共利益的需要承担的维护公平和正义等伦理原则的责任，主要包括职业伦理责任、社会伦理责任和环境伦理责任。核能领域是国家安全重要基石，而核安全问题则事关国家安全、人民健康和美丽中国建设，事关全人类的前途命运，更是国家安全的重中之重。时至今日，秦山核电站已安全运行 30 年，建成后的秦山核电基地总装机容量达 660 万千瓦，年发电量约 520 亿千瓦时，累计安全发电 6 900 亿千瓦时，成为我国核电机组数量最多、堆型最全面、核电运行管理人才最丰富的核电基地。

秦山核电站不断改善提高安全运行水平，并形成了一支高水平的核电站运行管理和维修队伍，每一位科技工作者都时刻牢记着：“安全第一，质量第一”，树立“核无小事”的安全观念，把安全放在一切任务之首，确保每一个环节上的技术手段正确。秦山核电站建立的伦理终极目标就是给人类社会带来福祉，而这一领域的安全运行与科技工作者个人的工程伦理观念息息相关，个人的伦理责任在防范工程风险上具有至关重要的作用。只有当每个人都致力于核安全，每个核工作者都将核安全观念深植于内心并致力于这个共同目标时，才能获得核电厂最高水平的安全性。秦山核电做到了“对自己负责、对国家负责、对世界负责”！

秦山核电站基地自建造以来的30多年里没有发生过任何核安全事故，从未发生任何能对环境产生影响的事件。根据国家环境监测机构提供的资料显示，秦山地区各项环境辐射监测指标均保持在天然本底水平，也就是正常环境中的安全辐射水平，对周围辐射环境没有产生可察觉的影响，其所在的海盐县也被浙江省评为环境最优先进县之一。秦山作为中国核电安全运行的典范，为核电是安全、清洁、高效的能源提供了最好印证。这是秦山核电“视安全为生命”的最好体现。

社会需要是个人需要的集中体现，是社会全体成员带有根本性、全局性、长远性需要的反映。核电站投入使用30年来，取得了良好的经济效益和社会效益。良好的生态环境是新时代人民美好生活需要的重要内容，随着中国特色社会主义进入了新时代，美好生存环境逐渐成为人民共同的追求和愿望。生态环境伦理也是工程伦理的一个主要组成部分。目前秦山核电站安全运行累计发电6 400亿千瓦时，相当于减排6亿吨二氧化碳，植树造林404个西湖景区。秦山核电站所处的海盐县已经连续5年空气质量优良率位居嘉兴市首位。发展核电是关乎全体人民共同利益的大事，秦山核电站的管理者真正做到了从社会的长远利益出发，满足人民对美好生活的向往的共同需要，为实现绿色“双碳”目标做出了贡献。

三、建堆道路上坚定的前行者

20世纪50年代，核能领域成为国际聚焦的重点科技领域，当时的王大中被苏联核电站爆发出的巨大能量所震撼，“难以想象，在那厚厚的混凝土墙和自动开启的大铸铁门后，原子反应堆是如何把微观的核裂变与宏大的核工程结合起来的。”在进行专业选择的时候，他毅然选择了反应堆工程专业，并成为我国第一批反应堆专业的大学生，从此他的命运便与中国核能事业的发展紧密联系在一起。

“核安全问题”一直是核能和平利用的主要障碍。1979 年和 1986 年相继发生的美国三哩岛核电站堆芯熔化事故以及震惊世界的切尔诺贝利核电站事故使世界核能事业陷入低谷，这也让王大中敏锐地意识到：安全形势是核能发展的生命线，未来核能技术发展必须抓住这一主要矛盾。

王大中带领团队攻坚克难，主持研发建成世界上第一座具有固有安全特征的模块式 10 MW 高气冷实验堆，反应堆的安全性得到极大提高，破解了困扰世界的难题，实现了我国先进核能技术的跨越式发展。作为一名高瞻远瞩的核能科学家，王大中没有就此止步，坚持核心关键技术自主创新的方针，带领团队不断朝着国家战略目标的要求进发，走出了我国以固有安全为主要特征的核能技术从跟跑、并跑到领跑世界的成功之路！

王大中

在共和国的发展进程中，走来了一批又一批秉持着“国家利益和人民利益至上”的精神，凭借着精湛的学术造诣和宽广的科学视野，创造光荣业绩的科技工作者们。在科技活动中，他们坚守责任伦理和道德伦理，承担社会责任确保社会的安全是对科技工作者最基本的要求。着眼国家需要，开拓创新也是科技工作者最重要的品质之一，这是科学研究的应有之义。人民安全是以全体中国人民的根本利益为出发点的安全战略，是国家安全的核心内容。科技工作者应始终把人民群众的生命财产安全放在首位。科技工作者所从事的核领域的活动一定要建立在维护世界和平和发展的基础之上，不但应该考虑科技成果的有效应用，还要充分考虑其后果。在世界他国发生的几起核安全事故后，王大中意识到安全性是核能发展的生命线，要保证社会公众的生命安全，反应堆安全必须是“固有的”，瞄准这一世界性障碍，他在 2004 年完成了实际反应堆安全验证实验，成功验证了安全性，为保证人民的生命安全增添了一道防线，这符合全体人民的根本利益。

科学家的自我价值和社会价值是统一的，自我价值的实现要以社会价值实现为前提。自我价值是指科学家在个人生活或者社会生活中，自我对社会做出的贡献，而后社会和他人对作为人的存在的一种肯定关系。科学的动机并不是独立的，王大中立足于国家对核能利用的战略需求，和困扰世界的和安全难题，开辟了安全利用核能为人类造福的新路径。王大中获得国家和人民对个体价值认可，用来表彰他对我国核能技术做出的巨大贡献,他被授予 2020 年国家最高科学技术奖。个人与社会一定是紧密相连的，为了激励更多的科研工作者们，积极投身国家建设，王大中与夫人将所获得的国家和学校的全部奖励捐出，并设立“王大中奖学金”以鼓励青年学子矢志报国，奋进成才，这也足以说明，个人价值的成功获得也有利于社会价值的进一步实现。

社会需要反映了全体社会成员的共同利益，是人的需要的集中体现，是社会全体成员带有根本性、全局性、长远性需要的反映。个人的理想只有和国家的前途、民族的命运相结合才是有意义的。王大中在国家需要核能时，毅然选择了核反应堆专业，作为具有战略眼光的核科学家，王大中时刻关注国家的战略需求，作为技术总负责人，主持制定了 10 MW 高温冷气堆总体技术方案，带领团队突破了十项核心关键技术，“一张蓝图绘到底，一股韧劲干到底”，始终把国家和人民的需求放在第一位。王大中完美地诠释了习近平总书记对科技工作者的要求提出的要求：“肩负起历史责任，坚持面向世界科技前沿、面向经济主战场、面向国家重大需求、面向人民生命健康，不断向科学技术广度和深度进军”。

壮志展红旗，热血染红星。无论是过去的，还是现在的核领域科研工作者们，他们抱着“科技强国”的信念将毕生的心血投入核事业之中，为此隐姓埋名，默默付出。

“我心光明，夫复何言”。前辈们遇山开山，遇水架桥，民族复兴的信念随抗争而弥坚，红色的火种代代相传，永恒不灭！我们今天的一切，都与他们的奋斗和努力息息相关，他们与我们，昨天和今天，血肉相连。作为新一代的接班人，每个人都更有义务与责任，赓续爱国主义的价值观念，将民族复兴伟业进行下去，持续不断地为祖国的明天而奋斗。

强国复兴的路上有你有我，我们相互作伴，只要我们心中有魂，脚下就必然有根，用学史增信的精神信念、负笈报国的实际行动，诠释对党的忠诚、对人民的赤诚，则行之，必至！